Rainer Maria Rilke werd op 4 december 1875 te Praag geboren. Die stad heeft dan ook nauwelijks minder dan bij Kafka, Rilke's literaire carrière beïnvloed. Na een onderbreking van zes jaar – tijdens welke hij de cadettenschool en de handelsacademie bezocht – keerde Rilke in 1895 terug naar Praag. Door een ruim legaat is hij financieel onafhankelijk geworden. Een oudere vriendin en nicht moedigt hem aan bij zijn eerste literaire pogingen. Aan haar wijdt hij in 1894 zijn eerste boek, *Leben und Lieder*.

Wladimir de wolkenschilder is een keuze uit het andere vroege werk: de bundel *Am Leben hin* uit 1898 en het nagelaten werk van 1895 tot 1905. De verhalen geven een markant en verrassend beeld van de toonhoogte en tongval van de schrijver, die zo'n ongewone muzikaliteit in de Duitse literatuur zou brengen. Het zijn ten dele vingeroefeningen om de wereld in zijn ontelbare, stormachtige verschijningsvormen in de greep te krijgen. Het resultaat is een landkaart van gedurfde, nieuwe beelden en pakkende, welluidende formuleringen. Door de verhalen spelen duidelijk autobiografische herinneringen.

De uitvoerige novelle 'Ewald Tragy' verbeeldt het afscheid van Praag en het land van zijn jeugd, al volledig in de sfeer en stijl van wat in *Malte Laurids Brigge* zou uitgroeien tot een totale vernieuwing van de roman. Enkele essays ten slotte, geven een interessante kijk op Rilke's vroegste literaire en artistieke opvattingen.

D0774541

* Zijn werk is geen verleden maar toekomst! – Peter Demetz in *René Rilkes Prager Jahre*

Keuze en samenstelling: Volker Michels

Copyright © 1961 and 1965 by
Insel Verlag, Frankfurt am Main
Copyright Nederlandse vertaling © 1975 by
B.V. Uitgeverij De Arbeiderspers, Amsterdam
Oorspronkelijke titel: *Wladimir, der Wolkenmaler*
Uitgave: Insel Verlag, Frankfurt am Main 1974
Omslag en typografie: Alfons van Heusden

ISBN 90 295 3585 7

Inhoud

bare medewerkers voor het aardse bedrijf herschapen worden. En zo gebeurde het ook. Jij werd een zwaard – kreeg een grote, sterke punt; ik, een pen, werd met een dunne, sierlijke punt bedacht. Om daadwerkelijk te kunnen scheppen en werken moeten we allebei eerst onze glimmende punt nat maken. Jij... met bloed, ik... alleen maar met... inkt!'

'Om deze academische redevoering,' antwoordde het zwaard hierop, 'moet ik toch werkelijk lachen. Het is precies alsof de muis, dat nietige diertje, zijn nauwe verwantschap met de olifant wilde bewijzen. Hij zou dan net zo praten als jij! Want ook hij heeft net als de olifant vier poten en kan zich zelfs op een snuit laten voorstaan. Zo zou men nog gaan geloven dat ze op z'n minst neven van elkaar zijn! Je hebt, waarde pen, zeer sluw en berekenend zo juist alleen maar dátgene genoemd waarin ik gelijkenis met je vertoon. Ik daarentegen zal je vertellen waarin we van elkaar verschillen. Ik, een schitterend, trots zwaard, word aan de heup gegord van een onverschrokken, edel ridder; maar jij? Een oud klerkje steekt jou achter zijn lange ezelsoor. Ik word door de krachtige hand van mijn heer gegrepen en hij draagt mij tot in de vijandelijke gelederen; ík leid hem er doorheen. Jij, beste pen, wordt door je meester met bevende hand over vergeeld perkament bewogen. Ik houd vreselijk onder de vijanden huis, spring moedig, roekeloos in het rond; jij krast in eeuwige monotonie over je perkament en waagt je geen millimeter uit de baan die de leidende hand je voorzichtig wijst. En ten slotte, ten slotte – als mijn krachten uitgeput raken, als ik oud en zwak word, dan eert men mij zoals het een held toekomt, men stelt mij tentoon in de portrettenzaal van het huis en bewondert me. Wat gebeurt er daarentegen met jou? Is je baas ontevreden over je, word je oud en begin je met steeds dikkere lijnen over het papier heen te kruipen, dan pakt hij je beet, rukt je los van de steel die je tot steun diende en gooit je weg, tenzij hij je gratie verleent en je met een paar van je broertjes voor een paar centen aan een uitdrager verkoopt.'

'Het kan best wezen,' antwoordde de pen ernstig, 'dat je in menig opzicht de plank niet ver misslaat. Dat men mij vaak geringschat is maar al te waar, zoals het ook waar is dat men mij nadat ik onbruikbaar geworden ben, hoogst kwalijk behandelt.

Maar de macht waarover ik beschik zolang ik werken kan is daarom nog niet gering. We hoeven er maar om te wedden!'

'Jij wilt míj een weddenschap voorstellen?' lachte het overmoedige zwaard.

'Als je hem durft aan te nemen...'

'En óf ik hem aanneem,' antwoordde het zwaard, dat nog steeds niet van zijn lachen kon bijkomen. 'Waar gaat de weddenschap om?'

De pen nam evenwel een waardige houding aan, zette een officieel gezicht en begon: 'We willen wedden dat ik je kan verhinderen je werk, de strijd, uit te oefenen wanneer ík dat wil!'

'Ho ho, klinkt dat even dapper!'

'Ga je ermee akkoord?'

'Ik neem het aan.'

'Wel,' zei de pen, 'we zullen zien.'

Er waren nog maar een paar minuten verlopen sinds deze weddenschap werd afgesloten, toen een jongeman in rijk wapenkleed de kamer binnenkwam, het zwaard pakte en het aangordde. Vervolgens bekeek hij met voldoening de blinkende kling. Van buiten klonk een helder trompetsignaal, tromgeroffel – men ging naar het slagveld. Juist wilde de jongeman de kamer verlaten, toen een ander, die te oordelen naar zijn rijke versierselen een hoge plaats bekleedde, binnenkwam. De jongeman maakte een diepe buiging voor hem. De hoogwaardigheidsbekleder was ondertussen naar de tafel gelopen, had de pen in de hand genomen en haastig iets opgeschreven. '*Het vredesverdrag is al getekend*,' zei hij glimlachend. De

Ik was toen niet vaak thuis. 's Morgens om half acht ging ik naar mijn betrekking, gebruikte om het middaguur de maaltijd in een goedkoop restaurant en bracht zo vaak mogelijk de namiddag in het huis van mijn verloofde door. Ja, ik was toen verloofd. Hedwig – zoals ik haar zal noemen – was jong, charmant, welopgevoed, en bovendien – en in de ogen van mijn kameraden gaf dat de doorslag – rijk. Zij was een telg uit een vrij oude koopmansfamilie, die zich door spaarzaamheid en vlijt ten slotte een huis had kunnen verwerven dat ook de jonge cavaliers graag bezochten, omdat er ondanks alle voornaamheid een sfeer van ongedwongen vrolijkheid heerste, die voorkwam dat de theekopjes over-liepen van verveling. De jongste dochter des huizes, Hedwig, was overigens ieders lieveling, omdat zij aan haar goede opvoeding een bekoorlijke lichtzinnigheid paarde, die zelfs de oppervlakkigste conversatie interessant en aantrekkelijk maakte. Zij had meer warmte en gevoel dan haar beide oudere zusters, was oprecht, vrolijk, en... het staat vast dat ik van haar hield.

Ik kan vrijuit spreken. Zij trouwde een jaar nadat onze verloving verbroken was met een jonge adellijke officier, maar stierf nadat zij hem het eerste kind, een dochtertje met blonde krullen, had geschonken.

In haar ouderlijk huis, waar iedere dag een tamelijk groot gezelschap bijeen was, bleef ik gewoonlijk tot tegen zessen 's avonds, maakte dan mijn wandeling, bracht een bezoek aan de schouwburg en keerde om tien uur naar huis terug, om de volgende dag dezelfde levenswijze voort te zetten.

's Ochtends vroeg, als ik langzaam mijn drie trappen afliep, ontmoette ik op het portaal van de eerste verdieping steevast de concierge, die de witte tegelvloer dweilde. Hij groette en begon een gesprek. Dag aan dag hetzelfde. Eerst over het weer en daarna of ik tevreden was met mijn kamer, enzovoort. Daar de oude man nooit uit zich zelf ophield, vroeg ik hem altijd naar zijn kinderen, waarop hij een zucht slaakte en met opeengeklemde kaken uitstiet: ''t Is een kruis! Die geven zorg, meneer!' Daarmee was het gesprek beëindigd. Eens, op een dinsdag, informeerde ik, alleen maar om iets te zeggen, wie er eigenlijk naast me woonde. De vraag werd precies beantwoord zoals zij gesteld was: zomaar – terloops. 'Een naaister, een armzalig, minderwaardig schepsel,' bromde hij, zonder van de vloer op te kijken. Dat was alles.

Ik was deze inlichting al lang weer vergeten, toen ik haar – de naaister, zoals ik toen terecht vermoedde – in de schemerige vestibule van het huis tegenkwam. Het was een zondagochtend. Ik had uitgeslapen en ging juist het huis uit, terwijl zij waarschijnlijk van de kerk kwam; zij had een boekje in haar hand. Een povere gestalte: op haar puntige schouders, die bedekt werden door een verschoten, groene, bijna tot de grond reikende mantel, schommelde haar hoofd, waarin allereerst de lange, dunne neus en de ingevallen wangen opvielen. De smalle, half geopende lippen lieten een onrein gebit zien, de kin was hoekig en sprong ver naar voren. Slechts de ogen schenen in dit gezicht de moeite waard. Niet dat ze mooi waren, maar ze waren groot en koolzwart – zij het ook glansloos. Zo zwart, dat haar diepdonkere haar bijna grijs leek. Ik weet alleen dat de indruk die dit wezen op mij maakte allerminst aangenaam was. Ik geloof dat ze mij niet aankeek. Intussen had ik geen tijd meer om deze vluchtige ontmoeting verder te overpeinzen, daar ik vlak voor de deur een vriend tegen het lijf liep in wiens gezelschap ik de rest van de morgen doorbracht. Daarna vergat ik helemaal dat ik een buurvrouw had, te meer omdat het dagen en nachten achtereen volkomen stil bleef, ofschoon onze deuren vrijwel naast elkaar lagen. Zo zou het ook wel gebleven zijn, als niet op een nacht door een toeval – hoe moet ik het anders noemen – het onverwachte, nooit-vermoede was gebeurd.

woog ze zich. Alsof ze droomde legde ze een hand op mijn schouder. Ik keek naar die hand; de lange vingers met dikke knokkels en vuile, korte, brede nagels, de huid aan de vingertoppen bruin en vol naaldeprikken... Ik werd overmand door afschuw voor dit wezen. Ik sprong op, rukte de deur open en rende naar mijn kamer. Daar vond ik verlichting. Ik weet nog dat ik de grendel voor mijn deur schoof – zo ver mogelijk.

Verscheidene dagen verliepen op dezelfde manier als vroeger. Eens, misschien een week later, toen ik me al te ruste gelegd had, stootte ik per ongeluk met mijn elleboog tegen de muur. Ik hoorde dit onopzettelijke kloppen onmiddellijk beantwoord worden. Ik maakte geen enkel geluid. Vervolgens dommelde ik in. In mijn halfslaap kwam het me plotseling voor alsof mijn deur geopend werd. Het ogenblik daarop voelde ik hoe zich een lichaam tegen het mijne aanvlijde. Zij lag naast me. In mijn armen bracht ze de nacht door. Meer dan eens wilde ik haar wegsturen. Maar ze keek mij met haar grote ogen aan en dan bestierven de woorden op mijn lippen. O, het was vreselijk om het warme lijf van dit wezen naast mij te voelen, dit onooglijke, ouwelijke meisje; en toch vond ik de kracht niet...

Soms kwam ik haar in het trappehuis tegen. Ze passeerde me net als de eerste keer... we kenden elkaar niet. Ze kwam erg vaak bij me. Zachtjes, zonder een woord te zeggen, kwam ze binnen en betoverde me met haar blik. Ik was willoos.

Ten slotte besloot ik er een eind aan te maken. Ik beschouwde het tegenover mijn aanstaande bruid als een misdaad om met deze vrouw het bed te delen, deze vrouw die zo opdringerig bij me kwam liggen maar niet eens... het recht van de liefde had!

Ik kwam veel vroeger dan normaal thuis en vergrendelde onmiddellijk mijn deur. Toen het tegen negenen liep kwam zij. Omdat ze de deur op slot vond ging ze weer weg; misschien verkeerde ze in de waan dat ik niet thuis was. Maar ik was onvoorzichtig. Ik verschoof mijn zware bureaustoel iets te onbeheerst. Dat moest ze gehoord hebben. Het volgende moment werd er geklopt. Ik hield me muisstil. Nog een keer. Toen ongeduldig, ononderbroken. Nu hoorde ik haar snikken, lang, lang achtereen... De halve nacht moet ze voor mijn deur hebben doorgebracht. Maar ik was sterk gebleven; ik voelde dat mijn volharding de betovering had verbroken.

De volgende dag kwam ik haar op de trap tegen. Ze liep zeer langzaam. Toen ik haar passeerde sloeg ze de ogen op. Ik schrok: in deze ogen fonkelde een onbehaaglijke dreiging... Ik lachte me zelf uit. Wat een idioot was ik toch! Dit meisje! En ik keek haar na, zoals ze haar voeten plomp op de stenen treden zette en naar beneden hinkte...

Mijn chef had mij die middag nodig, zodat mijn gebruikelijke bezoek aan Hedwig achterwege moest blijven. Toen ik 's avonds op mijn kamer kwam lag daar een brief van haar vader, die mij van mijn stuk bracht. Hij luidde: '...Onder de gegeven omstandigheden zult u begrijpen dat ik me tot mijn diepste spijt gedwongen zie uw verloving met mijn dochter te annuleren. Ik meende Hedwig aan een man toe te vertrouwen die niet door verplichtingen elders gebonden werd. Het is de plicht van een vader om zijn kind voor ervaringen als deze te behoeden. U zult, geachte heer Von B... mijn optreden billijken, hoezeer ik er ook van overtuigd ben dat u mij nog tijdig op eigen initiatief zou hebben ingelicht. Overigens geheel de uwe...'

Mijn stemming van toen is niet eenvoudig te beschrijven. Ik hield van Hedwig. Ik had me al helemaal ingeleefd in de toekomst die zij zelf zo lieftallig had geschilderd. Ik kon mij mijn lot niet zonder haar voorstellen. Ik herinner me dat ik eerst gegrepen werd door een hevige smart die mijn ogen met tranen vulde en me pas daarna afvroeg waaraan ik deze zonderlinge afwijzing te danken had. Want zonderling was het zeker. Ik kende de vader van Hedwig als iemand die de nauwgezetheid en rechtvaardigheid zelve was en wist dat alleen iets belangrijks hem tot deze handelwijze kon hebben bewogen. Want hij respecteerde mij en was te bezonnen om mij onrechtvaardig te behandelen. Ik deed die nacht geen oog dicht. Ontelbare gedachten krioelden in mijn hoofd. Tegen de morgen sluimerde ik ten slotte afgemat in. Toen ik wakker werd ontdekte ik dat ik de deur had vergeten te vergrendelen. Toch was ze niet gekomen. Ik herademde opgelucht.

Ik kleedde me haastig aan, excuseerde mij op mijn werk voor een paar uur en snelde naar de woning van mijn verloofde. Ik vond de huisdeur gesloten en toen er op mijn herhaalde bellen niemand kwam opdagen dacht ik dat de familie uit rijden was gegaan. De huisbewaarder kon immers best op de binnenplaats aan het werk zijn, waar hij de bel niet hoorde. Ik besloot in de namiddag om de gewone tijd terug te komen. En dat deed ik. De huisbewaarder deed open, zette verbaasde ogen op en zei dat ik toch zeker wel wist dat de familie op reis was gegaan. Ik schrok, maar deed alsof ik op de hoogte was en vroeg alleen Franz, de oude huisknecht, te spreken. Deze vertelde mij dan ook gedetailleerd dat iedereen, maar dan ook iedereen op reis was gegaan nadat zich gistermiddag een vreemd tafereel had afgespeeld. 'Ik stond,' vertelde hij, 'hier in de vestibule, en poetste het tafelbestek toen er een zwakke, ongelukkige vrouw binnenkwam, die me verzocht haar naar juffrouw Hedwig te brengen. Natuurlijk deed ik dat niet, – je moet toch eerst weten wie je voor je hebt...' Ik knikte ijverig. – Er ging me een licht op... 'Kort en goed,' vervolgde de praatzieke oude man, 'ze schreeuwde en jammerde toen ik bij mijn weigering bleef zo lang, dat de weledele heer uit zijn kamer kwam. Ze smeekte hem om een gesprek en bezwoer dat ze een belangrijke boodschap voor hem had. Hij liet haar in zijn werkkamer. Ze bleef een heel uur binnen. Een heel uur, weledele heer! Toen kwam ze de kamer uit, kuste de weledele heer de hand...'

'Hoe zag ze eruit?' onderbrak ik hem.

'Bleek, mager, lelijk.'

'Lang?'

'Heel lang.'

'Ogen?'

'Zwart, en haar haar ook.' De beuzelachtige oude man was nog lang niet uitgepraat. Maar ik wist genoeg. Alle woorden uit die vreselijke brief werden mij duidelijk: bittere wraakzucht werd in mij wakker. Ik liet de huisknecht staan en vloog naar beneden. Ik holde door de straten naar mijn huis. Voor de benedendeur stond een groepje mensen. Mannen en vrouwen. Ze praatten met elkaar, op een opgewonden fluistertoon. Ik duwde hen ruw opzij. Dan drie trappen op, zonder adem te halen. Ik moest naar haar toe, en haar zeggen... Ik wist nog niet wat ik zou gaan zeggen, maar ik voelde dat ik als het zover was de juiste woorden zou weten te vinden...

Ook op de trap kwam ik mensen tegen. Ik sloeg geen acht op hen. Boven... Ik rukte de deur open. Een indringende carbolgeur sloeg me tegemoet. Een verwensing bestierf op mijn lippen. Daar lag zij op de smoezelige lakens van het bed, met alleen een hemd aan haar lijf. Haar hoofd lag ver achterover, haar ogen waren gesloten. Haar handen hingen slap omlaag. Ik liep op haar toe. Ik durfde haar niet aan te raken. Met haar wijd geopende mond en bloeddoorlopen oogleden leek ze precies een verdronkene. Ik huiverde. Ik was alleen in de kamer. De stervende, kille zon scheen op de vuile tafel, de rand van het bed... Ik boog mij naar de vrouw over. Ja, ze was dood. Haar gezicht was blauwachtig. Er steeg een akelige geur van haar op. En ik werd bevangen door walging, door afschuw...

(1894)

Een karakter

Schets

Echt een dag voor een begrafenis. Vochtig, donker, heiig... De met vier paarden bespannen lijkkoets reed log over de gladde, ronde straatstenen die in het herfstlicht glansden als kale schedels en de wielen trokken diepe voren door de grauwe, vuile plassen. De knechten van het begrafenisbestuur sjokten er knorrig naast met smeulende lampen. Achter hen liep de rouwstoet. Van de vrouwen zag men alleen een dichte rij zwarte sluiers, als beroete spinnewebben tussen de lijkkoets en de witte hoge hoeden van de mannelijke rouwdragers. Het meest verhevene waaraan de leden van dit diepbedroefde gezelschap zich wijdden was het beschermen van broeken en japonnen tegen de opspattende modder; met roerende aandacht zochten hun voeten naar de stenen eilanden die het hoogst uit de onafzienbare vloed oprezen; en op menig gezicht stond de bescheiden verzuchting te lezen dat de ontslapene betere weersomstandigheden voor zijn bezwaarlijke reis had afgewacht. Twee heren, die in de derde rij liepen, waren als enigen in een tamelijk levendig gesprek gewikkeld. Aan hun gelaatsuitdrukking kon men zien dat zij de humane balans opmaakten van daden en wedervaren van de overledene. Dit scheen een alleszins bevredigend eindsaldo op te leveren. Zij knikten elkaar toe met die ernstige blik, die bij teraardebestellingen en andere publieke plechtigheden het geheime teken is waaraan rechtschapen mannen elkaar herkennen. Toen streek de een de vouwen in zijn gezicht glad en fluisterde met een breed gebaar van zijn zwartgeschoeide rechterhand: 'Een karakter.' Zijn buurman vond dit zo treffend uitgedrukt dat hij het slechts met krachtige nadruk kon herhalen: 'Een karakter.' En nogmaals die blik der rechtschapenen, waarbij de een zo plomp in een plas stapte dat zijn achterbuurman een ontstemd gebrom liet horen. Daarna zeiden zij niets meer. Het werd stil. Alleen de wielen van de lijkkoets knarsten en de plassen waar men in stapte klokten zacht.

Het 'karakter' zag het levenslicht als zoon van een man van gemiddelde welstand. De heer M., zijn vader, had een klein huis, een hoogstaande moraal en een kuise echtgenote. Met andere woorden: vrij veel.

Nog vóór de kleine M. de carbollucht van het kraamvertrek inademde wisselden de vrouwen die de jonge moeder bijstonden al blikken van verstandhouding en smoesden: ' 't Wordt een jongen.' Zij volgden iedere beweging die de vrouw maar kon maken en gaven met steeds meer opwinding aan hun vermoeden lucht. En toen op hun brandende vraag ten slotte het levende, roodbruine, rimpelige antwoord kwam... toen wás het een jongen! De kleine M. groeide op als ieder ander; na verloop van tijd metamorfoseerden zijn zachte voorvoetjes in dito handjes en nog wat later krabbelden de vingers van deze handjes niet meer aan de vloerplanken maar hielden ze zich bij voorkeur op in mond en neus. Hierna braken de jaren van de kerstbomen en de demonstraties aan. De jongen werd een of twee keer per week naar de ijskoude 'zondagse kamer' geroepen; daar bekeek men hem met grote ogen, betastte zijn haren, wangen en kin, leerde hem braaf een pootje te geven en zonodig zijn melodieuze voornaam met bescheiden waardigheid uit te spreken. Iedereen vond hem allerliefst, en ook dat hij 'als twee druppels water' op zijn vader, moeder of een of andere oom leek, en bijna niemand nam afscheid zonder de plechtige voorspelling dat de jongen ook te zijner tijd op school beslist heel zoet zou blijken te zijn. De kleine had deze betuigingen van helderziende bewondering vaak genoeg kunnen beluisteren. En zonder veel moeite, ja, zonder zich zijn succes eigenlijk bewust te zijn, kwam hij de lagere school door, beklom met prijzenswaardige, ietwat pedante zelfverzekerdheid de acht sporten van de gymnasiumladder en liep toen nog een jaar colleges aan de universiteit, waarna hij in de stilte van het vaderlijke kantoor verloren ging. Op een dag fluisterde men dat de jonge M. de leiding van de zaak van zijn vergrijsde verwekker zou overnemen en kort daarop was het een feit. De vader stierf spoedig en de nieuwe directeur wist het aanzien van de firma te handhaven dank zij een niet verslappende degelijkheid en binnen de grenzen van het redelijke gehouden vlijt. Vaak vernam de onzekere koopman bij monde van zijn vrienden dat het verhaal ging dat hij grootse dingen van plan was, en vol verbaasde bewondering voor de hem toegeschreven dadendrang begon hij veel van die plannen daadwerkelijk uit te voeren; en vaak met succes. Zo gingen de jaren voorbij. De verwezenlijking van de plannen die de mensen hem toedichtten had zijn welstand aanzienlijk vergroot en niets was natuurlijker dan dat de fluisteraars druk M.'s aanstaande verloving befluisterden. Het gerucht kwam hem ter ore; vanaf dat moment was hij bijna onwillekeurig in het bedoelde meisje geïnteresseerd en na een paar weken al vloeide het suizelende 'ja' van de uitverkorene in de ruisende brombas van de jonge bruidegom. Hij had ook dit keer de verwachtingen van de mensen niet beschaamd; hij was toch zeker een karakter!

Al geruime tijd beraamden de brave burgers van M.'s woon- en geboorteplaats de bouw van een schouwburg. Nu weet iedereen dat er nog nooit een theater uit goede wil is opgetrokken, maar zelfs het allereenvoudigste toch minstens uit slechte planken. Van eerstgenoemde grondstof bezaten de mensen genoeg, voor de aanschaf van de tweede ontbrak het geld. De kommervolle stadsvaders zetten 's ochtends vroeg hun gefronste voorhoofd al op en als een van hen dit symbool van ernstige waardigheid 's avonds aan de biertafel vergat op te houden werd hem dat heel erg kwalijk genomen.

Toen joeg op een dag als een lentestorm het gerucht door de stad dat M. zou hebben besloten het voor de bouw van de muzentempel benodigde geld voor te schieten. En zoals de lentewind de stemmen van de vogels doet ontwaken, zo verwekte dit bericht allerwegen klinkende lof. Een deputatie van het stadsbestuur, het vochtige winterappelgezicht van de burgemeester aan de kop, betrad een paar uur later de kamer van de weldoener. Hun aanvoerder dankte hem voor het nobele geschenk, waarbij hij voortdurend door vreugdehikken werd onderbroken. Even stond M. met zijn mond vol tanden. Maar hij raadde snel wat dit vreugdebetoon te betekenen had. Het begin van een schaduw trok over zijn voorhoofd. Hij wilde zich al verzetten tegen wat men blijkbaar van hem verwachtte, maar toen bedacht hij dat dit ogenschijnlijke gebrek aan zelfvertrouwen hem zelf en zijn firma zou kunnen schaden en met een zuurzoet glimlachje nam hij het hem aangereikte contract aan waarin een niet onaanzienlijk bedrag werd genoemd. Op deze manier breidde M.'s roem zich van jaar tot jaar uit. Nu men in hem ook de kunstminnaar ontdekt had, vertelde men elkaar al spoedig van nu eens dit en dan weer dat autochtone talent, dat M.'s grootmoedige ondersteuning genoot.

Maar één keer had het 'karakter' de mensen bijna in hun verwachtingen bedrogen. Men fluisterde over een 'blijde gebeurtenis' die in huize M. 'op til was'. En de jonge echtgenote werd zodra zij zich op straat vertoonde door nieuwsgierige blikken achtervolgd. De nobele koopman gaf zich dan ook oprechte moeite de mensen zo vlug mogelijk tevreden te stellen. Maar dit keer liet zijn fortuin hem in de steek. Met verbaasde wrevel stelden de brave dames van de stad vast dat mevrouw M. nog altijd gesloten jurkjes droeg en dat er daaronder niets 'aan de gang' kon zijn. Daarna fluisterden zij zacht doch verstaanbaar dat een kuur in Franzensbad haar geen kwaad zou doen. En zie, toen mijnheer M. de openbare mening ook dit keer tot de zijne gemaakt had – hoe had het ook anders gekund – hield zijn vrouwtje zich nauwkeurig aan de voorgeschreven termijn om het gesloten jurkje door een wijde mantel te vervangen. Het 'karakter' was gered.

De faam van de man van eer M. overschreed weldra de stadsgrenzen. Men had het al een hele tijd over een ridderorde. De vermaarde koopman deed ook nu de benodigde stappen en het viel hem niet te zwaar om een paar maanden later de eerbiedige felicitanten met holle woorden en gevuld knoopsgat zijn hartelijke dank te zeggen.

Op een winterse zakenreis liep M. een zware verkoudheid op die hem aan zijn bed kluisterde. Een defect aan zijn longen waar zijn dokter twintig jaar geleden al eens iets over gemompeld had, eiste nu zijn tol. Zijn toestand werd met de dag zorgwekkender. Zijn vrouw bezocht hem met gereserveerde deelneming. De patiënt heeft rust nodig, placht zij te zeggen als zij in de gezellige huiskamer tussen haar van troost overlopende buurvrouwen zat.

Op een morgen werd de ernstig zieke door lawaaiige stemmen opgeschrikt uit een benauwende koortsdroom. Hij vloog overeind, staarde verdwaasd om zich heen en vroeg met matte stem aan de liefdezuster wat dat te betekenen had. En toen deze zweeg en hem tot rust maande, belde hij om zijn oude bediende en stelde hem dezelfde vraag.

Deze nam dan ook geen blad voor de mond, hij krabbelde zich op het hoofd en bulderde: 'Mijn God, nu zegt dat domme gespuis weer dat mijnheer al dood is; het is ze niet uit hun kop te praten...' en hij slofte de kamer uit.

De koortszieke keek hem verbouwereerd na.

Toen draaide hij zich op zijn linkerzij en sliep in... Hij was immers een karakter.

(1895/96)

De gebeurtenis

Een verhaal waar niets in gebeurt

Men zat aan de thee bij mevrouw Von S. Op het verblindend witte tafelkleed stond de reusachtige Russische samowar en begeleidde de conversatie met zijn melodieuze gezoem. De gebeurtenissen van de dag waren al breed uitgemeten, de kunsttentoonstellingen en de schouwburg leverden, zo vroeg in de herfst nog, niet genoeg gespreksstof. Er dreigde een stilte te vallen, zo'n stilte die iedereen als een vette mist demoraliseert en beangstigt en waarin de theelepeltjes en -kopjes harde, schelle geluiden maken.

Maar de gastvrouw voelde het gevaar tijdig aankomen. Mevrouw Von S., een nog jonge weduwe met kastanjebruin haar, stelde voor dat iedereen de interessantste gebeurtenissen uit zijn leven zou vertellen. Enthousiaste instemming.

Een jongeman, een baron bij de gratie van het toeval en wijlen zijn vader, begon.

Neuzelend diste hij een paar avonturen op, moeizaam en met veel onderbrekingen doordat zijn eigen voortreffelijke geestigheid hem telkens in de lach deed schieten; avonturen die steeds waren geënsceneerd als 'tonelen' of 'toneeltjes' van de zin der wereld en waarin van die dames met kleine rokjes en klein verstand, lichte voetjes en een nog veel lichter hart de hoofdrol speelden. Meer dan eens voelde de dame des huizes zich geroepen een kuchje te laten horen, wanneer de gladgeschoren, met de ogen knipperende baron zich op een al te gedetailleerde beschrijving toelegde. Dan kneep hij zijn vale ogen dicht alsof hij zich geneerde en bloosde tot aan de grens van wat er nog van zijn dof-blonde hoofdhaar over was.

Ten slotte was hij klaar met zijn verhaal. Hij lachte op zijn blatende manier. De heren lachten min of meer van harte mee, de dames hadden hun theekopje aan de lippen gebracht, zodat men hun gelaatsuit-drukking niet zo goed kon beoordelen.

Hierna bulderde een majoor een paar herinneringen wakker, sprak, lachte, vloekte en commandeerde aan één stuk door, zonder tussenpozen, zodat het klonk als de salvo van een klein geweer...

En zo kwam iedereen aan de beurt.

Een van hen vertelde ook over Egypte. Levendig schilderde hij de woestijntochten met al hun verschrikkingen en gevaren.

Daarna leunde hij in zijn stoel naar achteren en sprak met zachte, gevoelvolle stem over de maannachten aan de Nijl en de pracht van de lotus.

Een dromerige ontroering lag over het gezelschap toen hij uitverteld was.

'En nu bent u aan de beurt, mijnheer Savant,' zei de gastvrouw tegen een bleke man van ongeveer dertig.

Bij het horen van haar uitnodiging sloeg hij zijn grote, grijze ogen op.

Rond zijn lippen speelde een onvast lachje.

Een verdwaasd, vermoeid lachje.

Zoals een manestraal in een herfstnacht door een distelveld zwerft.

Alle blikken waren op hem gericht.

Nu bekeek hij zijn nagels.

Hij slaakte een lichte zucht.

En stak toen van wal, zonder de ogen op te slaan.

'U zult mij niet geloven als ik zeg: ik heb nog nooit iets... meegemaakt. Nooit. Mijn leven glijdt weg als een regendruppel van een dak.

Gelijkmatig, vervelend, monotoon.

En zo is het altijd geweest.

En het is verschrikkelijk dat het altijd zo geweest is. Maar...

Maar u ziet, geachte mevrouw, ik zou geen opbeurend woord weten te zeggen, permitteert u dus dat ik er het zwijgen toe doe.' Maar toen kwamen er hevige protesten los!

En boven het algemene gemompel uit klonk de schertsende stem van de gastvrouw: 'Nu moet u ook doorgaan, mijnheer Savant; nu hebt u onze nieuwsgierigheid geprikkeld en dat kunnen wij vrouwen nu eenmaal niet ongestraft laten passeren.'

De jongeman richtte zijn blik naar de verte, alsof hij door iedereen heen keek.

'Vooruit dan maar,' lispelde hij droog.

'Het is een lang verhaal; maar ik zal het kort houden.

In mijn hart leeft een drang naar het grote, machtige, ongewone! Altijd, als kleine jongen al, heb ik deze drang gevoeld. Ik verslond alle sprookjes. En uit de brokstukken die ik het mooist vond stelde ik het sprookje van mijn kinderjaren samen. Ik beleefde het niet, ik droomde het alleen maar. Want de dagen van mijn jeugd stroomden even eentonig voort als een vliet in een vlak landschap. Zonder opwinding, zonder ongelukken, zonder één gebeurtenis die iets dieper in mijn ziel had kunnen dringen. Mijn moeder was zwak en gevoelig, mijn vader nors en somber. Van nature voelde ik voor hen een soort aanhankelijkheid, die ik graag liefde had willen kunnen noemen. Beiden stierven vroeg. Ik huilde. Maar zonder verdriet. Alleen omdat ik een druk in mijn oogleden voelde. Dezelfde druk die je meent te voelen als je in te schel licht kijkt.

Ik was blij het ouderlijk huis te kunnen verlaten met al zijn donkere kamers vol stijfpotige, zwartgallige leunstoelen.'

De baron kuchte. Maar de anderen waren geboeid en keken de stoorder met lichte ergernis aan. Dus zweeg hij.

'Er op uit,' – hernam de verteller, die niets gemerkt had – 'er op uit, dacht ik, trek nu de wereld in, het leven in waarvan ze altijd zeggen dat het zo wild en stormachtig en afwisselend is. Je zult mogen vechten! En ik trok er op uit.

Maar ik hoefde niet te vechten. Mijn fatum wilde het niet hebben. Ik ontmoette vrienden van mijn vader die blij waren als weldoeners voor mij te kunnen optreden. Ze lieten me naar de middelbare school gaan, gaven me voedsel, kleding, onderdak, en opnieuw wikkelde de loodzware sleur mij in zijn nevels. Het enige verschil met vroeger was dat ik in lichtere kamers zat, iets meer vlees kreeg, en ook soep met specerijen, die mijn vader nooit lustte.

Toen de universiteit. Over het algemeen was ik vlijtig. Maar ik sleepte er geen pluimpjes mee in de wacht. Toen ging ik mijn werk verwaarlozen. Maar ik zakte niet voor het examen; nee, ik kwam keurig netjes in een monotone ambtenaarsloopbaan terecht.

Ik huurde de kamer die ik nu nog bewoon. Een echte vrijgezellenkamer met een kapstok en een klein ijzeren wastafeltje.'

De jongeman huiverde. Hij sloot een ogenblik de ogen en sprak toen: 'Op een dag dacht ik dat eindelijk de eerste gebeurtenis in mijn leven voor de deur stond. Ik dacht verliefd te zijn op een vrouw. Enigszins opgewonden verklaarde ik haar mijn liefde. Ze twijfelde geen seconde. We verloofden ons.

O, was er maar wat tegenslag geweest, een of ander incident!

Had ze mij maar afgewezen en mij een heerlijke, zoete strijd laten strijden, met haar lijf en ziel als inzet! Maar nee. En ik stelde mij al voor hoe alles hierna langs de oude, afgezaagde lijnen zou verlopen. Ik beefde bij het vooruitzicht. En toen ik op een middag in het café zat (ik zit al tien jaar lang iedere dag van vier tot zes in hetzelfde café), toen wees ik haar alsnog af. Met een paar woorden, op een eenvoudige briefkaart, in stijve zinnen die vlekkerig uit de versleten pen van het restaurant kwamen vloeien. Ik voelde dat dít toch niet de liefde wezen kon waar men het altijd over heeft. Want ik was geen moment uit mijn gewone doen geweest. Nee, ze liet me beslist totaal koud. Maar aan de andere kant stelde ik me met een boosaardig, waanzinnig genoegen voor hoeveel ontzetting mijn schrijven teweeg zou brengen. Hoeveel misschien wel ongeneeslijk leed ik deze vrouwenziel zou toebrengen...

Ze zou vol verwijt naar mij toekomen, rekenschap van mij eisen, ...en ik, ik zou haar dan koud en hoogmoedig wegsturen... uit baldadigheid, alleen om eindelijk, eindelijk eens iets... mee te maken.

Met zulke gedachten verliet ik het café en ging naar huis. Op mijn tafel lag een brief. Haar handschrift! Ik scheurde hem open: haar verbreking van onze verloving! Even koud, nuchter en onverschillig als de mijne, die op dat moment naar haar onderweg moest zijn.'

En de heer Savant steunde het hoofd in de handen en zweeg.

De lepeltjes rinkelden bedeesd. De samowar was verstomd, alsof ook hij door het verhaal geboeid was.

Niemand had behoefte om iets te zeggen.

Alleen de majoor bromde iets in zijn borstelige baard.

De jonge baron streek met zijn witte, beringde hand over zijn kale hoofd. Hij zag er nu aartsdom uit.

Na een paar seconden hief de jongeman het hoofd weer op. Hij keek verwonderd de kring rond en zei toen dromerig: 'Dus... niets; ...wéér niets.

Wéér kropen de dagen, weken, maanden, jaren voorbij.

Alle identiek.

Iedere dag kwam ik 's avonds om dezelfde tijd thuis.

Iedere dag wist ik: de sleutel zal knarsen als ik hem in het slot steek, eerst laat hij zich niet omdraaien maar een seconde later doet hij soepel en gewillig de deur voor me open..., en op het bureau zullen een of twee onbelangrijke brieven op me liggen wachten en mijn pantoffels zullen bij de leunstoel liggen in plaats van onder het bed zoals ik de huishoudster heb gevraagd.

En zo ging het iedere dag.

Eén keer nog een verstoring van de regelmaat. Ik kreeg een arrestatiebevel. Ik was me van geen misdrijf bewust. Maar alles in mij juichte: een gebeurtenis. Ik kleedde mij met extra zorg, om me naar de rechtbank te begeven onder geleide van de politie-agent die me ongeduldig buiten stond op te wachten. Maar ik was nog niet klaar met aankleden of er kwam een ambtenaar mijn kamer binnen, die het over een vergissing had en me smeekte hem niet kwalijk te nemen dat hij me last bezorgd had...

En toen weer jarenlang hetzelfde...

Hoe vaak heb ik niet al een misdaad willen plegen!

'Neem me niet kwalijk, geachte mevrouw,' onderbrak Savant zich zelf, toen hij zag hoe mevrouw Von S. hem geschrokken aangaapte. 'U hebt me zelf gevraagd dit alles te vertellen, en ik wil niets verzwijgen. Ja, ik stond vaak op het punt een misdaad te begaan; want ik wil, ik móét met alle geweld eindelijk een gebeurtenis mijn grauwe, gruwelijke leven binnenslepen!' Zijn vlammende ogen leken die van een verbijsterde wilde.

'De eerste de beste doodslaan! Dat idee overvalt me vaak op straat. Maar dan heb ik er de middelen en de kracht niet voor. En dan sta ik daar als een onnozele schooljongen die iets moet opschrijven en zijn pen vergeten is...

Ik ga ook vaak de straat op met mijn pistool op zak. Maar dan kom ik alleen mensen tegen waarop ik niet kan schieten omdat ik te erg van ze walg. Kleine verschrompelde gedaanten die zich met hun kleine beetje armzalige levenskracht aan het leven vastklampen als een spin aan zijn draad.

Of potige arbeiders, wier recht om te leven op hun eeltige handen en hun duffe, beroete voorhoofd geschreven staat...

30

Als ik nu maar krankzinnig werd, bid ik 's nachts als ik wakker lig.

En soms, dan krijg ik het ook: dan kruipt het in me omhoog. Benauwend en afschuwelijk. En dan giechelt het in mijn hoofd en lacht me uit... lacht... en ik lach mee, hard en schel. Maar nee. Ik pak een krant en lees twee, drie artikelen en zie dat ik alles nog woord voor woord, zin voor zin begrijp... Nee, het is me ook al niet vergund krankzinnig te worden. Dat ook al niet.'

Savant vocht tegen zijn tranen.

Iedereen zat er sprakeloos bij en keek verbijsterd naar de spreker. Alleen de majoor tikte zachtjes met de spoor van zijn linkervoet op de vloer, rood als een kreeft.

Dit klonk als het kloppen van een lijkworm.

Een huivering doorvoer het gezelschap.

Niets bewoog, zelfs geen theekopje.

'Dat is alles,' fluisterde de ongelukkige met matte, klankloze stem.

'Een ander zou met dit rimpelloze, kleurloze leven misschien gelukkig zijn geweest. Hij zou misschien goed en veel eten, er voor zorgen dat zijn spijsvertering niet van slag raakte en er dik en vet bij worden.

Maar ik, die sinds mijn prille jeugd, met een vurige, smachtende drang naar een gebeurtenis ben bezield, ik ga eraan te gronde.

Mijn wang gloeit van hartstocht en verlangen, maar de storm des levens, die hem verkoeling zou moeten brengen, blijft uit.'

(1896)

De vlucht

De kerk was volkomen leeg.

Door het kleurige glas-in-loodraam boven het hoofdaltaar viel het laatste zonlicht in een brede, gelijkmatige stralenbundel, zoals de oude meesters die op Maria-boodschappen schilderden, het middenschip binnen en gaf nieuwe glans aan de verbleekte kleuren van het tapijt op de treden van het altaar. Daarachter doorsneed het koorhek met zijn barokke houten pilaren de ruimte, en aan de andere kant daarvan werd het steeds donkerder en voor de allengs in het donker oplossende heiligen pinkoogden de eeuwige lichtjes steeds slimmer.

Achter de laatste, plompe zandstenen pilaar was het al helemaal donker. Daar zaten ze, onder een oud statieschilderij. Het bleke meisje zat in haar lichtbruine manteltje in de donkerste hoek van de zware, donkere eikenhouten bank weggedrukt. De roos op haar hoed kriebelde de in het hout van de leuning uitgesneden engel onder zijn kin, zodat hij moest glimlachen. Fritz, de gymnasiast, hield beide in versleten handschoenen stekende handjes van het meisje in de zijne, zoals men een klein vogeltje in zijn hand houdt, teder en beschermend. Hij was gelukkig en droomde: ze zullen de kerk op slot doen en ons niet zien zitten, en we zullen helemaal alleen zijn. Er komen hier 's nachts vast geesten. Zij drukten zich dicht tegen elkaar aan en Anna fluisterde angstig: 'Is het niet al laat?' Toen kwam er bij beiden een treurige gedachte op; bij haar de plaats aan het raam waar ze dag in, dag uit zat te naaien; wie daar zat zag niets dan de lelijke zwarte muur van de schoorsteen en nooit zon. Bij hem zijn met Latijnse schriften bezaaide tafel, waarop Plato's *Symposion* lag opengeslagen. De twee staarden voor zich uit en hun ogen volgden dezelfde vlieg, die een pelgrimsreis ondernam door de groeven en runen van de bidbank.

Zij keken elkaar in de ogen.

Anna zuchtte.

Fritz legde een tedere, beschermende arm om haar heen en zei: 'Konden wij ons ook maar zo uit de voeten maken.'

Anna keek hem aan en zag hoe het verlangen oplichtte in zijn ogen. Zij sloeg de blik neer, bloosde en hoorde hem zeggen: 'Ik heb trouwens toch al een hekel aan ze, een grondige hekel. Weet je, ze kijken me zo aan als ik van jou kom. Ze zijn één en al argwaan en leedvermaak. Maar ik ben geen kind meer. Vandaag of morgen, zodra ik wat kan verdienen, gaan we er samen vandoor, ver hier vandaan. Niemand die ons kan tegenhouden.'

'Houd je van me?' Het bleke meisje luisterde gespannen.

'Onbeschrijfelijk veel.' En Fritz kuste de vraag van haar lippen.

'Duurt het nog lang voor je me meeneemt?' vroeg het kind aarzelend. De gymnasiast gaf geen antwoord. Zijn blik gleed onwillekeurig naar boven, klom langs de rand van de plompe zandstenen pilaar omhoog en las het opschrift van het oude statieschilderij: 'Vader, vergeef hen...'

Toen vroeg hij geërgerd: 'Vermoeden ze wat bij jou thuis?'

Hij drong aan: 'Zeg op.'

Ze knikte heel zwakjes.

'Zo,' zei hij woedend, 'dat dacht ik wel, dus toch. Die kletskousen. Als ik maar...' Hij begroef zijn hoofd in zijn handen.

Anna drukte zich tegen zijn schouder. Ze zei alleen maar: 'Wees niet verdrietig.'

Zo bleven zij roerloos zitten.

Plotseling keek de jongeman op en zei: 'Laten we samen weggaan!'

Anna dwong haar mooie ogen, die vol tranen stonden, tot een glimlach. Ze schudde het hoofd en zag er erg hulpeloos uit. En de student hield net als daarstraks haar in versleten handschoenen stekende handjes vast. Hij staarde in het lange middenschip. Het zonlicht was verdwenen en de kleurige glas-in-loodramen waren lelijke, vale vlekken geworden. Het was stil.

Toen klonk hoog in de ruimte gepiep. Beiden keken naar boven. Ze ontdekten een kleine verdwaalde zwaluw die vermoeid de open lucht zocht, radeloos fladderend.

Op weg naar huis dacht de gymnasiast aan een Latijnse thema die hij nog moest maken. Hij besloot nog te gaan werken, ondanks zijn tegenzin en vermoeidheid. Maar bijna onbewust maakte hij een grote omweg, verdwaalde zelfs een eind in de stad die hij toch goed kende, en het was al nacht toen hij zijn kleine kamertje opzocht. Op de Latijnse schriften lag een klein briefje. Hij las het bij het licht van de onzeker dansende kaarsvlam:

'Ze weten alles. Ik schrijf je onder tranen. Mijn vader heeft me geslagen. Het is vreselijk. Nu laten ze me nooit meer alleen uitgaan. Je hebt gelijk. Laten we weggaan. Naar Amerika of waarheen je maar wilt. Ik ben morgenochtend om zes uur op het station. Dan gaat er een trein. Die neemt vader altijd als hij gaat jagen. Waarheen... weet ik niet. Ik stop. Er komt iemand aan.

Wacht dus beslist op me. Morgen zes uur. Tot in de dood

je

Anna.

Het was niemand. Waar gaan we heen, denk jíj? Heb je geld? Ik heb acht gulden. Deze brief laat ik door ons dienstmeisje aan dat van jullie doorgeven. Ik ben nu helemaal niet bang meer.

Ik geloof dat je tante Marie gekletst heeft.
Ze heeft ons dus toch gezien zondag.'

De gymnasiast ijsbeerde met grote, energieke passen door zijn kamer. Hij had het gevoel dat er een last van hem was afgevallen. Zijn hart bonkte. Hij voelde opeens wat het is: een man te zijn. Zij vertrouwt zich aan mij toe. Ik mag haar beschermen. Hij was overgelukkig en wist: ze zal helemaal van mij zijn. Het bloed steeg hem naar het hoofd. Hij moest gaan zitten en toen kwam de vraag in hem op: waarheen?

Deze vraag liet zich niet tot zwijgen brengen. Fritz overstemde haar door op te springen en voorbereidingen te treffen. Hij legde wat ondergoed en kleren klaar en propte de guldenbiljetten die hij had opgespaard in zijn zwartleren portefeuille. Vol ijver trok hij volkomen nodeloos alle laden open, nam er voorwerpen uit en legde ze weer op hun plaats terug, nam de schriften van de tafel en gooide ze in een hoek en liet de vier muren van zijn kamer demonstratief zien: hier wordt geëmigreerd en daarmee uit!

Het was al na middernacht toen hij op de rand van zijn bed ging zitten. Hij dacht er niet aan te gaan slapen; zonder zich uit te kleden ging hij liggen, alleen omdat zijn rug pijn deed, waarschijnlijk van het vele bukken. Hij dacht nog een paar keer: waarheen? En zei hardop: 'Als je echt van elkaar houdt...'

De klok tikte. Beneden reed een wagen langs, de ruiten trilden. De klok, die nog moe was van de twaalf slagen, haalde diep adem en zei met veel inspanning: 'Een.' Tot meer was hij niet in staat.

En het drong nog van heel veraf tot Fritz door en hij dacht: als je... echt...

Maar bij het ochtendgloren zat hij huiverend rechtop in het kussen en wist zeker: ik geef niet meer om Anna. Zijn hoofd was zo zwaar: ik geef niet meer om Anna. Was het haar ernst? Er om een paar klappen plotseling vandoor gaan. Waarheen dan? Hij piekerde, alsof ze het hem in vertrouwen had gezegd en hij het zich wilde herinneren: waar wou ze heen? Ergens heen, waar dan ook heen. Hij ontstak in verontwaardiging: en ik? Ik moet zeker alles in de steek laten, mijn ouders en... alles. O, en de toekomst. Wat dom van Anna, wat laag. Ik zou haar wel kunnen slaan als ze dat zou doen.

Als ze dát zou doen.

Toen de vroege meizon haar eerste stralen vrolijk en helder in zijn kamertje liet vallen hoopte hij: ze kán het niet ernstig gemeend hebben. Hij kalmeerde enigszins en was het liefst in bed gebleven. Maar hij zei bij zich zelf: ik ga naar het station en je zal zien dat ze niet komt. En hij stelde zich zijn vreugde al voor als Anna niet zou komen.

Huiverend in de vroegkou en met een zware vermoeidheid in zijn knieën liep hij naar het station. De hal was leeg.

Half angstig, half hoopvol keek hij om zich heen. Geen geel manteltje. Fritz herademde. Hij liep alle gangen en wachtkamers af. Reizigers liepen slaperig, lusteloos op en neer, kruiers stonden te lummelen bij hoge pilaren, en de armsten zaten terneergeslagen op stoffige vensterbanken tegen pakken en manden geleund. Geen geel manteltje. De portier riep ergens in een wachtkamer plaatsnamen af. Hij luidde een snerpende bel. Toen ratelde hij dezelfde plaatsnamen vlakbij nog eens af en toen nog een keer op het perron. En steeds ging dat akelige bellen daaraan vooraf. Fritz draaide zich om en slenterde, de handen diep in zijn zakken, naar de hal van het station terug. Hij was zielstevreden en dacht met een triomfantelijk gezicht: geen geel manteltje. Ik wíst het wel.

Als om het noodlot te tarten ging hij achter een zuil staan. Hij wilde de dienstregeling bestuderen, om uit te vissen waar die rampzalige trein van zes uur nu eigenlijk naar toe ging. Mechanisch las hij de namen van de stations en zette een gezicht als van iemand die een gekke trap bekijkt waar hij net niet

van af gevallen is. Toen klonk het klepperende geluid van snelle voetstappen op de tegels. Toen Fritz
opkeek ving hij nog juist een glimp op van het kleine figuurtje bij de deur naar het perron, dat een geel
manteltje droeg en een hoed waarop een roos heen
en weer wiegelde.

Fritz staarde haar na.

Toen werd hij gegrepen door angst voor dit zwakke
meisje dat met het leven een gewaagd spel wilde spelen. En alsof hij bang was dat zij terug zou komen en
hem zou dwingen de vreemde wereld in te trekken,
aarzelde hij niet langer en liep zo snel hij kon, zonder
één keer om te kijken, naar de stad.

(1896/97)

De familieceremonie

Na de mis liep de pastoor van Maria-Schnee de vier altaartreden af, draaide zich om en hurkte achter het koorhek neer. Hij zocht in de vele plooien van zijn ornaat naar een zakdoek, snoot eerbiedig een diepe orgel-c en begon: 'Laat ons bidden voor de heer Anton von Wick, keizerlijk raadsheer, die in den Heer ontslapen is. Heer, wees uw trouwe dienaar Antonius genadig...'

In de eerste bidbank kwam de heer Stanislaus von Wick, broer van de acht jaar tevoren overleden 'trouwe dienaar Antonius', overeind en snoot zijn ontroering uit. Toen de zielmis achter de rug was, ging mijnheer Stanislaus, als hoofd van de familie, voorop, en achter hem verrezen een paar in het zwart geklede vrouwen uit de donkere banken. Op straat gaf hij zijn zuster, de oude majoorse Richter, een arm en de anderen volgden hen twee aan twee. Niemand zei een woord. Ze hadden stuk voor stuk lichtschuwe ogen die er behuild uitzagen en ze geeuwden van honger en verveling. De familie zou bij de dochter van mijnheer Anton zaliger, mevrouw Irene, weduwe van de heer Horn, geboren Von Wick, de maaltijd gebruiken en mevrouw de majoorse zette er een straffe pas in die voortdurend in strijd was met haar corpulentie en welks ongeduld slecht paste bij de schoolmeesterachtige treurmars van haar stijve broer. Mijnheer Stanislaus kreeg het zinnelijk aardse streven van haar voeten in de gaten en zei bij wijze van vermaning: 'Arme Anton.'

De majoorse knikte, meer niet. Mijnheer Von Wick trok nu zijn smalle schouders enige malen hoog op, waar hij een bezorgd luisterend gezicht bij zette. Hij overdreef deze beweging steeds meer en herhaalde hem nadrukkelijk voor de huisdeur, ten overstaan van de hele familie, net zo lang tot mevrouw Irene nerveus vroeg: 'Wat scheelt u, oom?' Mijnheer Von Wick wachtte tot hij genoeg berusting in zijn gezicht verzameld had en kreunde toen, terwijl hij de angstige beweging ijlings hervatte: 'Ik ben helemaal stijf... zal wel kou gevat hebben in de kerk.' Mevrouw Irene knikte, meer niet, en haar zuster Friederike lispelde op een toon van uiterst roerende zelfverloochening: 'Ik ook.' Toen voegde de Française zich met de zoon van de weduwe Horn, een bleek jongetje van zeven jaar, bij de anderen en de bleke Friederike streek hem teder over het voorhoofd. Zij dacht: 'Hij is zo bleek, hij heeft vast ook kou gevat.' Terwijl zij de trappen in het donkere trappehuis bestegen vertrouwde zij haar zuster toe: 'Oswald hoest.'

Pas toen de familie om de gedekte tafel zat vergat ieder zijn bij de zielmis opgelopen ziekte. Mijnheer Stanislaus von Wick zat tussen zijn zuster en Friederike in. De waardige heer scheen de overdreven schoudergymnastiek van daarstraks met een icoonachtige starheid te willen vereffenen. Hij staarde over het hoofd van de tegenover hem gezeten oude juffrouw Auguste heen – de onvermoeibare tante des huizes, van wie niemand ook maar in de verte wist in welke graad zij eigenlijk familie was – naar de donkerste hoek van de eetkamer, waar twee hoge, met katoen overtrokken leunstoelen desolaat bij een veel te klein tafeltje stonden. Op dat moment zag mijnheer Von Wick er net zo geweldig geaffaireerd uit als wanneer iemand hem op kantoor stoorde bij het lezen van de krant. Zijn mes had zich als een pennehouder tussen zijn ruwe vingers gedrongen en wachtte tot hij de akte van zijn gedachten van dit moment met het fijne, als uit trilgras gevlochten 'Stanislaus von Wick' zou ondertekenen. Alle omzittenden waren zich van dit belangrijke moment bewust en wachtten in bijna ademloze spanning af. Alleen de kleine Oswald lepelde ergens in de laagte haastig zijn bouillon om zijn achterstand in te lopen, en Auguste, die zich op ieder familiefeest voor de drie voorafgaande én de drie volgende dagen zat at, was druk bezig met de oplossing van het probleem hoe ze even veel zou kunnen praten als eten. Zij zette haar woorden als een scherm voor haar overvolle bord neer en haar fantasie wedijverde met haar maag in het verstouwen. Van deze gecompliceerde bezigheid kreeg zij het ondertussen danig warm en af en toe moest ze even pauzeren.

Tijdens een van die pauzes riep mijnheer Von Wick zijn blik van de hoge leunstoelen terug, gunde hem een korte rust op het schaduwrijke voorhoofd van tante Auguste en stuurde hem toen, geladen met een grote betekenis, naar de vrouw des huizes; de weduwe Horn, die zich meer een Von Wick voelde, nam de zendbode van haar oom plechtig en onder diep stilzwijgen van de omzittenden in ontvangst. Zij nam haar fruitmesje, hief het moeizaam tot aan de rand van haar met een gekroonde 'W' gemerkte wijnglas en tikte er een keer tegen. Deze kleine oorzaak had vele machtige gevolgen: alle wapens onderbraken hun meer of minder vrolijke haast en uit verscheidene schoten doken servetten op als witte parlementaire vlaggen en verkondigden wapperend wapenstilstand en vrede. De Française met haar ogen als van een konijntje rukte de kleine eetlepel uit zijn hand. '*Que veux-tu?*' siste het kind en de mademoiselle fluisterde ontzet: '*Fais attention!*' In dit rumoer waren de eerste woorden van mijnheer Stanislaus spoorloos ten onder gegaan. Hij ging nog wat rechter zitten en drukte tegen de knoop van zijn stropdas om iets dat in zijn keel in slaap was gevallen wakker te porren. Zijn kleurloze ogen zochten de twee leunstoelen: 'Daar,' zei hij en wachtte tot alle blikken dit bevel hadden opgevolgd, 'daar heeft mijn arme broer Anton, God zij hem genadig, acht jaar geleden de laatste adem uitgeblazen. Zijn laatste woorden golden het welzijn van onze familie. Verdraagt en helpt elkaar, heeft hij mij de dag voor zijn dood gezegd. En eensgezind met ons allen bijeen, zoals hij het gewenst heeft, herdenken we vandaag zijn achtste sterfdag. Moge God ons de kracht geven zijn gedachtenis nog lang in rust en gezondheid te huldigen; we kunnen gerust zijn, de geest van onze broer, respectievelijk uw vader,' hier wendde hij zich tot de vrouw des huizes en Friederike, 'en grootvader,' zijn geroerde blik rustte op Oswald, die stiekem met een vingertje broodkruimels zat op te pikken, 'zweeft zegenend boven ons.' Uitgeput van krachtsinspanning en emotie ging mijnheer Stanislaus zitten, maar niet zonder eerst de lange zwarte panden van zijn jas op te tillen. Hij had op de dag dat zijn broer stierf ongeveer hetzelfde gezegd en sindsdien veranderde hij telkens alleen het nummer van de sterfdag. Maar dank zij het feit dat zij maar eens per jaar gebruikt werden hadden de woorden een zekere frisheid behouden, en mijnheer Von Wick scheen ze bovendien één voor één in zijn mond af te stoffen en recht te buigen alvorens ze uit te spreken. Nadat alle glazen elkaar ontmoet en met gepaste terughoudendheid begroet hadden, zei de bleke Friederike heftig kuchend: 'Is pappa in deze stoel gestorven of in díe?' Met halfgesloten ogen keek zij naar de hoek. De gastvrouw vond deze vraag onbetamelijk en haalde haar schouders op, mijnheer Von Wick was zijn ontroering nog niet voldoende meester, en de majoorse zat met volle mond te kauwen, zodat het antwoord wel van tante Auguste moest komen. Zij aarzelde dan ook niet lang, streek met haar hand over haar grijze kruin als om een deel van haar herinneringen tot leven te wekken, en zei toen met heroïsche vastbeslotenheid: 'In die.' Met dit soort nauwkeurige en piëteitsvolle feitenkennis probeerde zij altijd haar ietwat raadselachtige status te legitimeren. Nu kwam iedereen in rep en roer. Men stond op en ging op de twee stoelen staan. Als laatste kwam ook mijnheer Von Wick erbij staan, baande zich een weg tot achter de rugleuningen en begon die aan de achterkant te betasten. Toen deelde hij het gespannen wachtende gezelschap mee: 'Het is die waaraan een schroef ontbreekt. Deze hier mist een schroef, mitsdien is mijn broer Anton in deze leunstoel gestorven.'

Men bleef nog even staan, alsof men verwachtte dat de stoel zelf ook nog een duit in het zakje zou doen. Toen deze met onverschillige kalmte bleef zwijgen, begaf ieder zich weer naar zijn plaats.

'Daar op de gele canapé is oma gestorven,' constateerde de hoestende Friederike. En nu wees men elkaar over en weer alle meubels waarop het lichaam van een mannelijke of vrouwelijke Von Wick was blijven zitten terwijl hun zielen de Von Wicks aan gene zijde van het graf waren gaan opzoeken. Het waren er heel wat; en het was een schande om bij de 'Von Wicks' stoel te zijn als er niet iemand op je gestorven was. Dat voelde de met katoen overtrokken leunstoel naast de sterfzetel van mijnheer Anton heel diep.

De pauze was wat lang gaan duren. De gastvrouw liet een van haar vingers op de knop van de elektrische schel neerkomen. Terwijl de anderen nog steeds laatste meubelen en laatste woorden voor de zoveelste maal oprakelden en Friederike met een matte glimlach net als alle vorige keren met het verhaal op de proppen kwam dat oma Von Wick toen ze stierf iets had uitgeroepen in het Frans, kwam de 'oude Johan' binnen, die al sinds onheuglijke tijden onder deze naam bij het huisraad hoorde, en jongleerde met een schotel reefilet over de gladde parketvloer. De 'oude Johan' was al lang niet meer in dienst, genoot van verschillende generaties in de familie verschillende pensioenen en bediende alleen nog bij hoge uitzondering op bijzonder belangrijke sterfdagen. Dan trok hij zijn oude verschoten livrei aan waarvan de zilveren knopen het familiewapen en het randschrift *'Constantia et fidelitas'* droegen, wrong zijn door de jicht kromgetrokken handen in reusachtige witte handschoenen en zag er in deze kledij uit als een verkleed skelet. Als een dor blad dreef hij naar het eind van de tafel en bleef bij mevrouw Irene, weduwe van de heer Horn, plakken. Zijn halfblinde ogen moesten eerst aan het schemerdonker in de eetkamer wennen en hij hield de schotel louter op zijn gevoel in de richting van waar hij iemand vermoedde. Mevrouw Irene wentelde met veel moeite een klein stukje filet op haar bord en nam de bijbehorende rijstkorrels als een zegen uit de bevende handen van de grijsaard aan, uit welke ook haar vader en wijlen haar grootvader hun filet hadden ontvangen. Daarna neeg mevrouw Irene eerbiedig voor de garen handschoenen, en de oude Johan keek alweer neer op het violette mutsje van de majoorse Richter, die de schotel diepzinnig onderzocht. De grijze bediende begon zich te verdiepen in de vraag van wie dat mutsje daar beneden toch wel zou kunnen wezen. Hij dacht even na en was er toen van overtuigd dat het lila mutsje van mevrouw Karoline von Wick moest zijn, de eerzame echtgenote van wijlen grootvader Peter, en hij boog met welwillende minzaamheid naar de honderdjarige over, die hij meer dan dertig jaar geleden voor het laatst reegebraad had geserveerd. Voor de oude bediende leken duizend jaar één dag, en hij was hoogst verheugd in mijnheer Stanislaus von Wick mijnheer Peter in eigen persoon te herkennen en op zo hoogbejaarde leeftijd nog heel kras aan te treffen. Bij elke nieuwe pas herkende hij weer een ander familielid uit de tijd van de grootvader en het valt dan ook niet te verwonderen dat hij de kleine Oswald als een jeugdige uitgave van oom Stanislaus begroette. Het wankelen van zijn schotel kreeg iets liefkozends, iets van een streling, toen hij hem om de spitse elleboog van het ziekelijke kind heen manœuvreerde. Met bezorgde aandacht volgden de meesten de bewegingen van de oude man met hun blik, want hij was een zeldzame bezienswaardigheid en belichaamde als het ware alles wat er nog op aarde van de overleden Von Wicks over was.

Op wankele voeten was Johan om de tafel geschreden; alleen bij de Française had hij een beetje getreuzeld, omdat hij niet meteen een emplooi voor deze roodogige persoon kon vinden. Maar hij troostte zich met de gedachte dat zijn geheugen hem wel eens vaker in de steek liet en vergenoegde zich ermee de vleesschotel voor de mademoiselle weg te trekken voordat zij zich goed en wel bediend had. De Française keek wat verbouwereerd om. Ze zorgde echter dat niemand iets merkte, zei tegen Oswald: 'Ventje, *tu as trop*,' en nam doodkalm een stuk vlees van het bord van de kleine, die het lekkere hapje schichtig en somber nagluurde.

Tante Auguste debiteerde ondertussen niets dan onnozele stadsroddel, en maar heel soms droeg iemand daar een woordje aan bij, als een aalmoes. De gastvrouw vond het tactloos om op een dag als deze zulke profane kletspraatjes te verkopen en zei er iets van tegen de majoorse; deze knikte instemmend en kwam daardoor in een steeds hartelijker verstandhouding met de gebraden ree te staan. Friederike luisterde niet meer naar de universele tante maar liet de Française voor de elfde keer vertellen dat zij van plan was geweest in een klooster te gaan. Friederike vond dat iedere keer weer machtig interessant en hoopte dat zij de twaalfde keer de roman op het spoor zou komen, die de bleekzuchtige Parisienne wel eens tot dit vertwijfelde besluit gebracht had kunnen hebben. Dit keer werden zij echter midden in de legende gestoord door de met stemverheffing sprekende oom Stanislaus. De heer Von Wick had zich gedrongen gevoeld de oude trouwe bediende bij de pand van zijn rok staande te houden en hem met goedige minzaamheid toe te fluisteren: 'We worden maar niet oud hè, m'n brave Johan.' Johan kon niet antwoorden. Niet alleen was hij daarvoor te zeer ontroerd door deze genade van grootvader mijnheer Peter von Wick, maar ook had hij door zijn hardhorendheid geen woord van de lange toespraak verstaan. Mijnheer Stanislaus herhaalde enigszins gehaast zijn vraag. Weer werd hij niet verstaan. Mijnheer von Wick, die er prijs op stelde dat de dingen vlot werden afgehandeld, vond dat deze zuiver uiterlijke, formele zaak te lang duurde, en zijn stem verloor iedere vriendelijkheid toen hij ten slotte tegen de oude man schreeuwde: 'Nou Johan – hoe gaat het ermee?'

Allen hadden nu hun aandacht op hen gevestigd.

Friederike zweeg en ook de Française en tante Auguste en de kleine Oswald, die door de spanning zelfs een zwaarbeladen vork in zijn mond vergat te steken.

En Johan had het begrepen. Met de onderdanige vertrouwelijkheid van de oude bediende boog hij over naar het witte, gladde hoofd van mijnheer Stanislaus en zei: 'Te...veel...genade, genadige mijnheer Peter.'

Destijds had hij grootvader altijd zo genoemd om hem te onderscheiden van de andere broers, die ook in het huis woonden. Zijn woorden kwamen met korte tussenpozen, alsof hij moeizaam naar elk woord had moeten zoeken, en de zieke Friederike had het gevoel dat er ergens een oude speelklok, die in lang niet opgewonden was geweest, begon te spelen. Voor 'Peter' aarzelde de oude Johan een ogenblik; daardoor klonk de naam de toeschouwers nog eigenaardiger en opvallender in de oren. Mijnheer Stanislaus kromp ineen, trok wit weg, en het goedige lachje verdween van zijn gezicht. Hij voelde aller blikken op zich gericht en voelde zich een hulpeloze oude man; want in deze blikken zag hij in veelvoud uitgedrukt wat hij zelf vaag voelde: schrik en angst. Hij keek de een na de ander aan en was bang op iemands lippen te zullen lezen: 'Mijnheer Peter.' Maar iedereen zweeg. Toen keek hij schuw achterom en zei uit alle macht tegen zich zelf: de oude ziet ze vliegen. Maar er stond niemand meer achter hem.

Mijnheer Von Wick wreef zich een paar keer over zijn smalle voorhoofd. 'Is er wat met je, Stanislaus?' vroeg de majoorse, die nog een restje onbevangenheid had weten te bewaren.

'Nee, Karoline,' reageerde mijnheer Stanislaus met toonloze stem. Zijn servet legde hij met krampachtige vastberadenheid naast zijn bord, stond op terwijl hij beide armen op de tafelrand plantte en liep toen met onzekere tred naar de donkere hoek, waar de twee leunstoelen naast het kleine tafeltje stonden. Vermoeid liet hij zich in de stoel vallen waarin nog geen Von Wick was gestorven. Dat was een daad van gerechtigheid. Iedereen zat als betoverd naar mijnheer Stanislaus te staren. Alleen mevrouw Irene, weduwe van de heer Horn, waagde een: 'Oom?'

Mijnheer von Wick maakte echter een flauw afwerend gebaar. Hij wilde niet gestoord worden. Dat dit vandaag of morgen zijn laatste stoel zou zijn wist hij; maar hij weifelde nog over zijn laatste woorden.

(1897)

Generaties

In de kamers van onze woning ruikt het donderdags naar tomaten, zondags naar gebraden gans, en elke maandag is het wasdag. Zo zijn de dagen: de rode, de vettige, de zepige. Maar ook zijn er nog de dagen achter de glazen deur; of eigenlijk is dat maar één enkele dag van koelte, zijde en sandelhout. Het licht is er gefiltreerd, fijn, zilverachtig, stil; roet, wind, lawaai en vliegen komen niet als in alle andere kamers mee naar binnen. En toch zit er alleen maar de glazen deur tussen; maar die is dan ook als twintig ijzeren poorten, of als een eindeloos lange brug, of als een rivier met een wisselvallig veer tussen haar oevers.

Heel soms gaat er iemand naar de overkant en herkent dan geleidelijk – diep in het schemerduister boven de sofa, groot, in gouden lijsten – grootvader, grootmoeder. Het zijn smalle, ovale borstbeelden, maar beiden hebben zij hun handen binnen de lijst getild, hoeveel moeite hen dat ook gekost mag hebben. Het zouden geen echte portretten geworden zijn zonder deze handen, achter welke ze stil en bescheiden hun leven hebben gesleten. Deze handen kenden leven en werk, verlangens en zorgen, waren moedig en jong en werden moe en oud, terwijl zij zelf niet meer dan vrome, eerbiedige toeschouwers van dit lot waren. Hun gelaatstrekken bewaarden ergens op verre afstand van het leven een werkeloze rust en hadden niets anders te doen dan steeds méér op elkaar te gaan lijken. En in de gouden lijsten boven de sofa zien ze eruit als broer en zuster. Maar dan tekenen hun handen zich ineens af tegen de zwarte zondagse kleren en verraden hen.

De ene, die ruw, verkrampt en meedogenloos is, zegt: zo is het leven. De andere, bleek, bang, teder, zegt: zeven kinderen... o! En op een dag is de blonde kleinzoon er, hoort de handen spreken en denkt: deze hand is als vader, en bedoelt daarmee de harde hand met de littekens. En bij de bleke hand voelt hij: die is als moeder. De gelijkenis is groot; en de jongen weet dat zijn ouders zich zelf niet graag zo zien; daarom komen ze niet graag in de salon. Ze voelen zich thuis in de luidruchtig lichte kamers en in de afwisseling der dagen, die nu eens rood zijn van de tomaten en dan weer muf van de soda. Want zo is het leven. En het blijft allemaal in hun gelaatstrekken achter als eens op de handen van zijn grootouders. Een paar handen zijn ze en daarachter is niets.

Achter de glazen deur leven vreemde gedachten. De hoge, halfblinde spiegels herhalen onophoudelijk, alsof ze het uit hun hoofd moeten leren: grootvader, grootmoeder. En de albums op het gehaakte tafelkleed puilen ervan uit: grootvader, grootmoeder, grootvader, grootmoeder. Natuurlijk staan de steile stoelen er eerbiedig omheen, alsof ze zo juist pas aan elkaar voorgesteld zijn en nu de eerste beleefdheidsfrasen uitwisselen: 'Aangenaam,' of: 'Bent u van plan hier lang te blijven?' En dan verstommen ze, zeggen als het ware 'Gaat uw gang,' als de speelklok zijn 'tingeling...' inzet. En hij zingt met zijn verwelkte, ijle stemmetje een menuet. Het lied blijft nog even boven de dingen zweven en druppelt dan in de vele donkere spiegels en rust in hun diepte als zilver op de bodem van een meer.

In een hoek staat de kleinzoon en het is alsof Van Dijck hem geschilderd heeft. Hij zou graag een naam willen hebben die je bij de muziek van de speelklok zou kunnen zingen, want hij heeft plotseling het gevoel: het gaat niet om strijd en ziekte en evenmin om de zorgen en het dagelijks brood en de wasdag en al het andere dat daar in die kleine kamertjes bij ons woont. Het ware leven is als dit 'tingeling...' Het geeft en neemt, het kan je bedelaar of koning laten worden en je wijs maken of droevig al naar het uitkomt,

...maar het kan je gezicht niet in een bange of kwade uitdrukking verwringen en evenmin kan het – neem me niet kwalijk, grootvader – evenmin kan het je handen zo ruw en lelijk maken als die van u.

Dit was zomaar een vaag, algemeen gevoel van de blonde jongen. Als een achtergrond waarvoor als loden soldaatjes andere kleine kindergedachten stonden. Maar toch voelde hij het en misschien zal hij eens zo leven.

(1898)

Ewald Tragy

I

Ewald Tragy loopt met zijn vader over de Graben. Het is zondagmiddag en de mensen flaneren. Aan hun kleren herkent men het seizoen: zowat begin september, versleten, vermoeide zomer. Voor menig toilet was het niet de eerste. Bij voorbeeld voor het modieus groene van mevrouw Von Ronay en ook voor dat van mevrouw Wanka, van blauwe foulardzijde; als dat wat opgewerkt en opgefrist wordt, denkt de jonge Tragy, kan het best nog een jaar mee. Dan komt er een jong meisje aan dat glimlacht. Ze draagt lichtrose crêpe de Chine – maar gepoetste handschoenen. De heren achter haar waden door een geur van pure benzine. En Tragy veracht hen. Hij veracht deze mensen trouwens allemaal. Maar hij groet uiterst hoffelijk, met een wat ouderwets nadrukkelijke galanterie.

Weliswaar alleen als zijn vader groet of teruggroet. Zelf heeft hij geen kennissen. Toch moet hij vaak zijn hoed afnemen; want zijn vader is voornaam, hooggeacht, een zogenaamde persoonlijkheid. Hij ziet er zeer aristocratisch uit en jonge officieren en ambtenaren zijn er bijna trots op hem te mogen groeten. De oude heer verbreekt dan een lang stilzwijgen met 'Ja' en groet grootmoedig terug. Dit luide 'Ja' heeft het misverstand helpen verbreiden dat de inspecteur en zijn zoon midden in het gekrioel van de zondagspromenade diepe, belangwekkende gesprekken voeren en dat zij het altijd roerend met elkaar eens zijn. Maar met die gesprekken zit het zo: door 'Ja' te zeggen beloont de heer Von Tragy een als het ware abstracte vraag, die zich in een onderdanige groet uitdrukt en ongeveer luidt: 'Ben ik niet welgemanierd?' Ja, zegt de inspecteur, en dat staat gelijk aan een absolutie.

Soms springt Tragy junior bovenop dit 'Ja' en koppelt er snel de vraag aan vast: 'Wie was dat, pa?' En dan staat het arme 'Ja' met de vraag erachter op een verkeerd spoor als een locomotief met vier wagons en kan niet voor- of achteruit.

De heer Von Tragy senior kijkt om, heeft absoluut geen idee wie dat geweest kan zijn, denkt er toch nog drie passen over na en zegt dan erbarmelijk hulpeloos: 'Jaaa?'

Soms voegt hij daaraan toe: 'Je hoed is echt héél erg stoffig.'

'O,' zegt de jongeman op een toon van doffe berusting.

En beiden zijn zij een ogenblik bedroefd.

Tien passen verder is de stoffige hoed in de gedachten van vader en zoon tot abnormale afmetingen gegroeid.

'Iedereen kijkt ernaar, het is een schandaal,' denkt de oude man, en de jonge probeert zich moeizaam te herinneren hoe de ongelukzalige hoed er ook weer ongeveer uitziet en waar het stof zou kunnen zitten. Op de rand, schiet hem te binnen, en hij denkt: 'Daar kan je nooit bij. Ze zouden een borstel moeten uitvinden...'

Plotseling ziet hij zijn hoed in stoffelijke gedaante voor zijn neus. Hij is verbijsterd; de heer Von Tragy heeft de hoed zonder meer van zijn hoofd gepakt en knipt er met zijn roodgeschoeide vingers aandachtig overheen. Ewald kijkt een ogenblik toe, blootshoofds. Dan rukt hij verontwaardigd het smaakvolle hoofddeksel uit de voorzichtige handen van de oude heer en zet het wild en onbeheerst op zijn hoofd. Alsof zijn haar in brand staat: 'Maar pa...' en hij wil nog zeggen: 'Híervoor ben ik dus achttien jaar geworden. Opdat jij me hier mijn hoed van het hoofd pakt, op zondagmiddag, terwijl iedereen het ziet.' Maar hij zegt geen woord en slikt iets weg. Vernederd is hij, klein, als in uitgeloogde, gekrompen kleren.

En de inspecteur loopt plotseling zo ver mogelijk

aan de andere kant van het trottoir, stijf en plechtstatig. Hij weet van geen zoon. En de zondagsmenigte stroomt tussen hen door. Maar er is niemand in de menigte die niet weet dat die twee bij elkaar horen, en iedereen betreurt het brute toeval dat hen zo ver uiteen dreef. Men wijkt vol deelneming en begrip voor elkaar uit en is pas voldaan als men vader en zoon weer naast elkaar ziet. Men constateert bij gelegenheid dat de overeenkomst in manier van lopen en gebaren van het tweetal beslist is toegenomen en verheugt zich daarover. Enige tijd geleden verbleef de jongeman namelijk buitenshuis, naar men zegt op een militaire school. Waarom is niet bekend, maar op een dag kwam hij daaruit terug en was toen sterk veranderd.

Maar nu: 'Kijkt u toch eens,' zegt een goedige oude heer die zo juist door de inspecteur met een 'Ja' is beloond, 'hij draagt het hoofd al een beetje naar links – net als zijn vader –' en de oude heer straalt van plezier over deze ontdekking.

Ook rijpe dames zijn in de jongeman geïnteresseerd. Ze meten hem in het voorbijgaan met een brede blik, keuren hem; ze oordelen: zijn vader was vroeger een knappe man. Hij is het nog. Ewald wordt dat niet. Nee. God weet op wie hij lijkt. Misschien op zijn moeder (waar die ook mag uithangen). Maar hij heeft een goed postuur en als hij later een goed danser wordt... en de rijpe dame zegt tegen haar in het rose geklede dochter: 'Heb je de heren Tragy vriendelijk teruggegroet, Elly?'

Maar eigenlijk heeft dat allemaal geen zin meer – de vreugde van de oude heer en de verstandige voorzorg van Elly's moeder. Want als het tweetal een lege, smalle straat met herenhuizen inslaat, haalt de zoon opgelucht adem: 'De laatste zondag.'

Hij heeft zijn opluchting luid genoeg geuit. Toch is de oude heer niet van plan iets te antwoorden. O, die zwijgzaamheid, denkt Ewald. Die is net een isoleercel, gevoelloos en overal onverbiddelijk gecapitonneerd.

Zo lopen ze tot de Duitse Schouwburg. En Tragy junior herhaalt geduldig: 'De laatste zondag.'

'Ja,' antwoordt de inspecteur kortaf, 'wie niet naar goede raad wil luisteren...' Stilte. Dan voegt hij eraan toe: 'Ga je vleugels maar branden, je zult wel zien wat dat inhoudt, op eigen benen staan. Goed, doe jij je ervaringen maar op. Ik heb er niets op tegen.'

'Maar pa,' zegt de jongeman een tikje heftig, 'me dunkt dat we dat allemaal vaak genoeg besproken hebben.'

'Maar ik weet nog steeds niet wat je eigenlijk van plan bent. Je gaat toch niet zomaar op de bonnefooi weg? Zeg me dan tenminste één keer wat je in München gaat doen.'

'Werken,' heeft Ewald vlug klaar.

'Ach jee... alsof je hier niet zou kunnen werken!'

'Hier zeker,' zegt de jongeheer met een superieure glimlach.

Mijnheer von Tragy blijft heel rustig: 'Wat heb je hier dan te klagen? Je hebt je kamer, je eten, iedereen mag je. En tenslotte ben je hier bekend en als je de mensen correct tegemoet treedt ben je in de beste huizen welkom...'

'Altijd de mensen, de mensen,' gaat de zoon op dezelfde spottende toon van daarstraks verder, 'alsof het alleen maar om de mensen gaat. De mensen kunnen naar de duivel lopen...' (bij deze trotse frasen schiet hem de geschiedenis met de hoed te binnen en hij voelt dat hij liegt), dus zegt hij nog eens met nadruk: 'Ze kunnen naar de maan lopen... de mensen. Wat zijn dat nou helemaal als ik vragen mag? Mensen... misschien?' Nu is de oude heer aan de beurt om te glimlachen, zo allereigenaardigst speelt er ergens in zijn fijn besneden gezicht een lachje, dat men niet kan zeggen waar: rond zijn lippen, onder de witte snor of om zijn ogen.

Het is dan ook meteen weer verdwenen. Maar de achttienjarige kan het niet negeren; hij schaamt zich en bedekt zijn schaamte met allemaal grote woorden. 'Eigenlijk,' zegt hij ten slotte en tekent met zijn hand een ongeduldige krul in de lucht, 'schijn jij trouwens maar van twee dingen weet te hebben: mensen en geld. Daar draait bij jou alles om. Mensen als jij liggen voor de mensen op hun buik, dat is de weg. En ze kruipen naar het geld toe, dat is het doel. Of niet soms?'

'Je zult ze allebei nog genoeg nodig hebben, zoon,' zegt de oude heer geduldig, 'je hoeft niet naar het geld toe te kruipen als je het toch wel altijd hebt.'

'En ook als je het niet hebt, dan...' De jonge Tragy aarzelt een beetje.

'Wat dan?' vraagt zijn vader en wacht.

'Ach,' zegt de ander op zorgeloze toon en maakt een wegwimpelend gebaar. Het lijkt hem verkieslijk een nieuwe zin te beginnen. Maar de oude heer houdt vol: 'dan,' vult hij zonder medelijden aan, 'word je een schooier en maak je je goede, eerbiedwaardige naam te schande.'

'O, de begrippen die jullie er op na houden,' de jongeheer doet erg verontwaardigd.

'We zijn nu eenmaal van een andere tijd,' zegt de oude heer, 'en daarmee uit.'

'Dat is het 'm nu juist,' triomfeert Tragy junior, 'uit een grijs verleden zijn jullie, uit lang vervlogen tijden, stoffig, uitgedroogd, in alle opzichten...'

'Schreeuw niet zo,' commandeert de inspecteur en men herkent de oude officier.

'Ik heb toch zeker het recht...'

'Kalm!'

'Ik mag praten...'

'Práát jij maar!' bijt de heer von Tragy hem min- achtend toe. Als een klap in het gezicht is dit scherpe: 'Práát jij maar!' En dan steekt de vader stijf en statig de straat over. Daar de straat volkomen uitgestorven is, komt het tweetal niet zo gauw weer samen en het is alsof de warme, zonnige rijweg tussen hen in steeds breder wordt. Zij lijken helemaal niet meer op elkaar. Gang en houding van de oude heer worden steeds onberispelijker, en zijn schoenen werpen fonkelingen voor zich uit. Die aan de overkant van de straat neemt ook een andere gedaante aan. Alles aan hem krult om en zet op als verkolend papier. In zijn kostuum zitten opeens talloze kreukels, de knoop van zijn das zwelt op en het is alsof de rand van zijn hoed breder wordt. Zijn nauwsluitende modieuze overjas heeft hij als een regenjas om zich heen getrokken waarmee hij tegen een denkbeeldige storm inloopt. Iedere stap is een worsteling. Hij lijkt uit een oude plaat gestapt met het gelithografeerde onderschrift: '*1848*', of: '*De revolutionair*'.

Niettemin kijkt hij van tijd tot tijd naar de overkant. Ergens verontrust het hem wel de oude man zo helemaal verlaten over de onafzienbare woestenij van het trottoir te zien lopen. Wat is hij alleen, denkt hij, en: als hem iets zou overkomen...

Zijn ogen laten zijn vader niet meer los en doen bijna pijn van het turen.

Ten slotte staan ze allebei voor één en hetzelfde huis. Als ze de vestibule binnengaan smeekt Ewald: 'Pa!' Hij is een moment in verwarring en zegt dan haastig: 'Je moet je kraag opslaan, pa – om deze tijd is het altijd zo koud in het trappehuis.'

Zijn stem klinkt angstig en aan het eind van de zin als een vraag, hoewel dit toch allerminst een vraag is.

En zijn vader antwoordt dan ook niet, hij beveelt: 'Trek je das recht.'

'Ja,' geeft Ewald pedant toe en trekt zijn das recht. Vervolgens lopen ze de trap op, langzaam schrijdend, zoals het uit hygiënisch oogpunt betaamt.

Op de eerste verdieping rechts woont mevrouw von Wallbach, ofwel tante Caroline, en bij haar dineert de familie iedere zondag – om twee uur precies.

De heren Tragy, vader zowel als zoon, zijn punctueel. Niettemin is iedereen er al. Want ook het woord 'punctueel' heeft zoals bekend een overtreffende trap.

Ewald talmt in de voorkamer een ogenblik voor de spiegel. Hij meet zich het gezicht van de 'laatste zondag' aan en daarmee gaat hij achter zijn vader de gele salon binnen.

'Ah...'

Het gezelschap is mateloos verbaasd, de een verbaast zich altijd weer over de verbazing van de ander. De binnenkomst van de twee mannen wordt op die manier voordelig tot een hele gebeurtenis uitgebuit. Je moet het leven nu eenmaal rijker weten te maken dan het is – het geeft niet hoe. Uitgebreide begroeting. Je moet er de geoefendheid van een letterzetter voor hebben om uit al deze verschillende schoten de juiste handen te halen en ze zonder drukfouten weer los te laten. Ewald levert vandaag met het gezicht van de 'laatste zondag' een geweldige prestatie. Terwijl de oude heer pas bij zijn zuster Johanna is heeft de jongeling drie tantes, vier nichtjes, de kleine Egon en de 'juffrouw' overweldigd zonder dat men ook maar de minste moeheid bij hem bespeurt.

Ten slotte heeft ook de heer Von Tragy senior zijn einddoel bereikt en nu zit iedereen tegenover elkaar en maakt elkaar hongerig. De vier nichtjes vinden beslist dat men wat moet praten. Dus proberen ze hier en daar een woord aan te verbinden – bij voorbeeld aan de barometer, aan de azalea's voor het raam, aan de premieplaat in koperdruk boven de canapé. Maar al deze dingen zijn van een ongelooflijke gladheid en de woorden vallen van ze af als verzadigde bloedzuigers. Er dringt een stilte binnen die iedereen omwikkelt als een lange, lange draad gebleekt garen. En de oudste van de familie, de majoorsweduwe Eleonore Richter, speelt onopvallend in haar schoot met haar ruwe vingers, alsof ze de eindeloze verveling zorgvuldig tot een kluwen opwindt. Men ziet: zij stamt nog uit die voortreffelijke tijd waarin de vrouwen altijd iets om handen moesten hebben. Maar ook de generatie die door de majoorsweduwe 'jong' genoemd wordt blijkt niet lui. De vier juffrouwen zeggen bijna gelijktijdig: 'Lorre?'

Bij deze welluidende samenklank glimlachen allen alsof ze iets cadeau hebben gekregen. En tante Caroline, de gastvrouw, opent de discussie:

'Wat doet een hond?'

'Waf, waf,' blaffen de vier juffrouwen.

En de kleine Egon komt ergens uit een hoek gekropen en neemt levendig aan het gesprek deel.

Maar de gastvrouw beschouwt dit gespreksthema als uitgeput en oppert: 'En een kat?'

En dan is men alom druk aan het miauwen, kraaien, blaten en brullen, al naar kunde en voorkeur. Het valt moeilijk te zeggen wie van het grootste talent blijk geeft, want in dit spektakel van rollende en glijdende klanken is het kakelende orgaan van de majoorsweduwe het enig identificeerbare, en ze wordt er bepaald jong onder.

'Tante kakelt,' zegt iemand vol ontzag.

Maar men blijft er niet lang bij stilstaan. Men is verrukt over de rijkdom aan mogelijkheden, doet steeds stoutmoediger pogingen, brengt steeds meer individualiteit in de zonderling gestileerde klanksyllaben. En het is hartroerend te vermelden dat er ondanks al het geïndividualiseerde toch een subtiele familiegelijkenis in de stemmen hoorbaar bleef, die gemeenschappelijke grondtoon der zielen, zonder welke de ware zorgeloze vrolijkheid niet kan ontstaan. Plotseling komt achter zijn gele tralies een grijsgroene papegaai in beweging, en – zou men kunnen zeggen – er schuilt een zekere voorname waardering in het stille, bedachtzame nijgen van zijn kop. Iedereen voelt dit aan, men wordt minder luidruchtig en glimlacht dankbaar.

En de papegaai heeft de gelaatsuitdrukking van een joodse muziekleraar en maakt nog een paar lichte buigingen voor zijn leerlingen; want sinds Lorre hier huisgenoot is heeft iedereen in de familie er een aantal klankrijke woorden waarvan hij vroeger niet had durven dromen bijgeleerd, en zo zijn woordenschat aanmerkelijk vergroot. Tijdens de zwijgende loftuiting van de vogel wordt iedereen zich deze omstandigheid bewust en stroomt vol met trots en vreugde. Zo gaat men in een opperbeste stemming aan tafel.

Iedere zondag wacht Ewald tot de derde van de vier tantes, juffrouw Auguste, met een glimlach zegt: 'Eten is in elk geval geen ijdele waan' – waarna volgens goede gewoonte iemand moet beamen: 'Nee, het is niet niets.'

Dat speelt zich gewoonlijk af na de tweede gang. En Ewald weet heel precies wat er na de derde aan de beurt komt, enzovoort. Terwijl er opgediend wordt spreekt men weinig, enerzijds met het oog op de 'ondergeschikten', anderzijds omdat de dialoog met het eigen bord iedereen al genoeg in beslag neemt. Men verhindert hoogstens door een tedere bemoeienis dat de kleine Egon, die alleen iets zeggen mag als hem iets gevraagd wordt, verzadigd raakt of ook maar zijn happen voldoende fijn gekauwd krijgt. Zo komt het dat de kleine altijd eerst het onbehaaglijke gevoel krijgt dat hij overvol is en daarna de 'juffrouw' die langzaam rood wordt, tot vertrouwelinge van zijn intiemste gevoelens maakt. De anderen zijn lang niet zo discreet. Niemand schept zijn bord vol zonder een zacht gekreun te laten horen en als het dienstmeisje met een zoete crème binnen komt slaken allen een luide, smartelijke zucht. De ijsgekoelde zonde dringt zich aan elkeen op en wie zou haar kunnen weerstaan? De inspecteur denkt: 'Als ik hierna nu sodawater neem...' en juffrouw Auguste wendt zich tot de gastvrouw: 'Is er maagbitter in huis, Caroline?' Met een schelms lachje trekt mevrouw von Wallbach een klein tafeltje naar zich toe waarop een groot aantal doos-jes, buisjes en vreemd gevormde flesjes gereed ligt. Men glimlacht, er verspreidt zich een apotheekgeur in de kamer en de crème kan nogmaals rondgaan.

Plotseling doet zich een onverwachte stoornis voor. De oudste van de familie is als een stammoeder opge-staan en roept vermanend: 'En jij, Ewald?'

Ewalds bord is schoon.

'En jij?' vragen alle ogen en de gastvrouw denkt: 'Het oude liedje, hij zondert zich weer eens af. We zitten morgen allemaal weer tot onze nek in de zor-gen, en hij? Dat is toch niet beleefd?'

'Merci,' zegt de jongeman kortaf en duwt het bord iets van zich af. Dat betekent: daarmee is deze zaak afgehandeld... alstublieft.

Maar dat snapt niemand. Men is dolblij met dit nieuwe thema en probeert opheldering te krijgen.

'Je weet niet wat je mist,' zegt iemand.

'Merci.'

Dan steken de vier nichtjes hem tegelijk hun le-peltje toe: 'Proef eens.'

'Merci,' herhaalt Ewald en speelt het klaar vier meisjes ineens ongelukkig te maken. De stemming wordt hachelijk. Totdat tante Augustine citeert: 'Oma zei altijd: "Wat men eten... nee, hoe men lijden..." '

'Nee,' verbetert tante Caroline: 'Lijden wat men...' Maar ook zo klopt het niet.

De vier nichtjes zijn wanhopig.

De heer Von Tragy knikt zijn zoon toe: laat ze zien wat je waard bent, imponeer ze... vooruit.

Tragy junior zwijgt. Maar weet: iedereen wacht op zijn hulp, en omdat het de laatste zondag is aarzelt hij ten slotte niet langer: 'Eten wat men lust en lijden wat men kan,' gooit hij er met diepe verachting uit.

Men is één en al bewondering. Men geeft elkaar het gezegde door, bekijkt het, overpeinst het, neemt het in de mond als om er de spijsvertering mee te bevor-deren en daardoor slijt het zo, dat het alle glans al weer kwijt is als het ten slotte weer bij Ewald terug-komt.

Hij laat het in de mond van de 'juffrouw' zitten, een ziekelijk bleke Française, die het opvat als een taaloefening en terwijl ze zich over de kleine Egon buigt herhaalt: 'Wat men luust eten...'

Een poos lang staat Ewald in het centrum van de belangstelling. De familie verbaast zich over de pa-raatheid van zijn geheugen, totdat tante Caroline ge-ringschattend haar lippen krult: 'Hm... als je nog zo jong bent...'

Uiteraard, denken de vier nichtjes: als je nog zo jong bent...

En zelfs op het bleke gezichtje van de kleine Egon staat dit minachtende vermoeden te lezen: als je nog zo jong bent, ...zodat de achttienjarige het gevoel krijgt: wat is er nu weer niet goed? Ze verwachten hier zeker binnenkort mijn geboorte.

Hij is toch al uit zijn humeur, en het schijnt hem goed uit te komen dat tante Auguste tussen twee hap-pen door het verhaal van haar tanden doet – hoogtij en verval; op het spannendste moment van haar ver-haal zegt hij recht in tante's wijdopen mond: 'Ik ben van mening dat men aan tafel...' en hoopt dat ze hem zullen antwoorden: jíj hoeft immers niet lang meer mee te doen, jíj kunt immers weggaan als het je hier niet naar de zin is. Maar iedereen is beledigd en nie-mand zegt iets.

Later, als men klinkt met 'Cantenac', denkt de jon-geman: nu zal er toch wel iemand het glas heffen: welnu, Ewald... Maar men drinkt elkaar toe, de rij langs, zonder dat iemand op het idee komt te begin-nen: welnu, Ewald...

Dan treedt een lange stilte in en Ewald vindt tijd om zich aan bange gedachten over te geven; hij voelt plotseling hoe alle blikken zich op hem richten en pro-beert ze met schichtige gebaren af te leiden. Maar met iedere beweging raakt hij steeds meer in deze onzichtbare netten verstrikt, wordt eerst driftig, dan hulpeloos en zijn gedachten zijn voortdurend in een kringloop gevangen; want door zijn boosheid en ongeduld komt hij steeds weer hierop uit: eigenlijk zou ik iets monsterlijks, iets ongehoords tegen jullie moeten zeggen, met één harde term jullie ogen doodslaan, zodat ze me loslaten, dát zou ik moeten doen. Maar het blijft bij een wens; want aan deze gemakkelijke, armzalige alledaagsheid waarin zij hem hebben laten opgroeien is hij tot op grote hoogte verknocht, en hij is als het dievenkind dat het beroep van zijn ouders veracht en toch geleidelijk leert stelen.

Terwijl hij nog in deze zorgen verdiept is zegt tante Auguste onschuldig: 'Als onze gesprekken de jongeheer niet bevallen zou hij toch eigenlijk minstens voor een conversatie naar zijn eigen smaak moeten zorgen. Dan zou je immers meteen zien... nu, Ewald, je maakt toch zoveel mee?'

Ewald, die nauwelijks geluisterd heeft, kijkt op en glimlacht verdrietig: och, ik...

Ook hoort hij als in de verte hoe de vier nichtjes hem eraan herinneren: 'Vier of vijf weken geleden begon je een verhaal te vertellen...' en hij wil zich vlug te binnen brengen wat dat voor verhaal geweest kan zijn. Belangstellend informeert hij: 'Waar ging dat dan over?'

De vier nichtjes denken na.

Ondertussen wendt de gastvrouw zich tot hem: 'Dicht je nog?'

Ewald wordt bleek en zegt tegen de nichtjes: 'Dus jullie weten het niet meer...?' En hij hoort de majoorsweduwe verbaasd uitroepen: 'Wát, dicht hij?' en ze schudt het hoofd: 'In mijn tijd...'

Maar met alle geweld wil hij zich het verhaal dat hij vijf of zes weken geleden is begonnen te vertellen te binnen brengen. Hij hoopt dat hij erin zal kunnen meesmokkelen dat het vandaag zijn laatste zondag is, en dan zal hij opgelucht adem kunnen halen. Maar plotseling onderbreekt mevrouw Von Wallbach zijn gedachten: 'Dichters zijn altijd verstrooid. Me dunkt dat we allemaal klaar zijn om naar de salon te gaan,' en tot Ewald: 'Dat van dat verhaal kan zeker wel tot de volgende zondag wachten, niet?'

Ze glimlacht alsof ze iets geestigs heeft gezegd en staat op. De jongeman zit er bij als een veroordeelde. Hij heeft het gevoel: er komt dus altijd weer een 'volgende' zondag en alles is tevergeefs. 'Tevergeefs', kermt iets in hem.

Maar dat hoort niemand meer. Men schuift zijn stoel naar achteren, rekt zich uit, wenst elkaar met een vette, tevreden stem, die over veel geslik en gehik rolt als over slecht plaveisel: 'Wel bekome 't u,' en sleept zich, met bezwete handen houvast zoekend, een weg naar de salon. Daar is het net als daarstraks, behalve dat men nu wat verder uit elkaar zit, en het saamhorigheidsgevoel is niet meer zo overheersend als vóór de maaltijd.

De majoorsweduwe loopt rusteloos voor de piano op en neer en knakt haar jichtige vingers recht. De gastvrouw zegt: 'Tante speelt alles op het gehoor... het is verbazend.'

'Echt waar?' vraagt tante Auguste verbaasd. 'Uit haar hoofd?'

'Uit haar hoofd,' verzekeren de vier nichtjes plechtig en wenden zich tot de majoorse: 'Speelt u alstublieft iets.'

Langdurig laat de weduwe Richter zich smeken tot ze eindelijk grootmoedig vraagt: 'Wat moet ik dan spelen voor jullie?'

'Mascagni,' dromen de vier nichtjes – want die is net in de mode.

'Goed,' zegt mevrouw Eleonore Richter en probeert de toetsen. '*Cavalleria?*'

'Ja,' zeggen er een paar.

'Goed,' knikt de oude dame en denkt na.

'Tante speelt alles op haar gehoor,' zegt tante Auguste, die langzaam ingedommeld was, en iemand laat er met een diepe zucht op volgen: 'Ja, het is verbazend.'

'Goed...' treuzelt de majoorse en probeert de toetsen: 'Iemand moet het me voorfluiten.' De inspecteur fluit: 'Zo zoek ik de humor...' – *Mikado*.

'Juist,' glimlacht tante: '*Cavalleria*,' en ze glimlacht alsof ze daarbij aan haar 'jeugd' denkt.

De majoorse begint dus met *Mikado* en speelt daarna, op wonderbaarlijke wijze met elkaar verzoend: *Der Bettelstudent* en *De klokken van Corneville*.

De anderen vallen daar dankbaar bij in slaap en de majoorse zelf volgt hun voorbeeld.

Dan houdt Ewald het niet langer uit, hij moet het tot iedere prijs uitspreken, en alsof dit het natuurlijke vervolg is op *De klokken van Corneville* zegt hij: 'Mijn laatste zondag.'

Niemand heeft het gehoord, op juffrouw Jeanne na. Ze loopt geruisloos over het dikke tapijt en gaat tegenover de jongeman aan het raam zitten.

Zij kijken elkaar enige tijd aan.

Dan vraagt de Française zacht: 'Est-ce que vous partirez, monsieur?'

'Ja,' geeft Ewald haar Duitse les, 'ik ga hier weg, juffrouw. Ik ga hier... weg,' herhaalt hij op slepende toon en geniet van het pathos van zijn woorden. Hij praat eigenlijk voor het eerst met Jeanne en is verwonderd. Hij voelt opeens dat zij niet alleen maar de 'juffrouw' is waarvoor de anderen haar houden en denkt: gek dat ik dat nooit eerder heb beseft. Zij is iemand voor wie je een buiging moet maken – een vreemdelinge. En hoewel hij niets zegt en haar alleen maar gadeslaat is er iets in hem dat een buiging voor de vreemdelinge maakt – diep – zo overdreven diep dat zij erom moet glimlachen. Een gracieuze glimlach is dat, die zich in barokke krullen om de fijne lippen aftekent maar niet tot de melancholie van haar schaduwrijke ogen reikt, die altijd net gehuild schijnen te hebben. Dus ergens op aarde glimlachen de mensen zó – gaat door de jonge Tragy heen.

En dadelijk daarop voelt hij de behoefte om iets tegen haar te zeggen waaruit zijn dankbaarheid blijkt, om haar op te vrolijken. Het is hem te moede alsof hij haar aan iets zou moeten herinneren dat zij gemeen hebben, door bij voorbeeld met een intelligent gezicht 'Gisteren' te zeggen. Maar hij zou nergens ter wereld iets gemeenschappelijks voor hen kunnen vinden. Dan vraagt zij hem in haar filigranen Duits, terwijl hij nog in opperste verwarring verkeert: 'Waarom? Waarom gaat u weg?'

Ewald steunt zijn ellebogen op de knieën en legt zijn kin in zijn handen: 'U bent toch ook van huis weggegaan,' antwoordt hij. En Jeanne waarschuwt snel: 'U zult heimwee krijgen.'

'Ik heb verlangen,' verklaart Ewald, en zo praten zij nog een poosje langs elkaar heen.

Dan keren zij zich allebei om en komen elkaar tegemoet; Jeanne biecht namelijk met zachte stem op: 'Ik moest weg, we zijn thuis met acht zusters, dus u kunt zich wel voorstellen... maar ik ben erg bang. Natuurlijk... iedereen is hier goed voor mij...,' voegt zij er schroomvallig aan toe – en dan smeekt het meisje: 'En u?'

'Ik?' zegt de jongeman verstrooid, 'Ik?... Nee, ik hoef niet weg, God nee, integendeel. U ziet toch zeker wel: iedereen hier weet dat dit de laatste zondag is dat ik hier ben en is er iemand die daar rekening mee houdt? Maar desondanks... Waarom glimlacht u?' onderbreekt hij zich zelf.

Zij aarzelt, en dan: 'Bent u een dichter, als ik vragen mag?' Ze bloost en is geschrokken als een kind.

'Dat is het nu juist, juffrouw,' verklaart hij '...ik weet het niet. En eens moet je er toch achter komen, niet waar? Op welke manier dan ook. Híer krijg je daar geen uitsluitsel over. Je kunt hier geen afstand van je zelf nemen, de rust ontbreekt, de ruimte ontbreekt, het perspectief... Begrijpt u wel, juffrouw?'

'Misschien...' knikt de Française, 'maar... ik bedoel... mijnheer uw vader moet er toch mee akkoord gaan en ook uw...'

'Mijn moeder, wilt u zeggen. Hm. Ja, dat hebben al zoveel mensen gezegd. Weet u, mijn moeder is ziek. U heeft daar vast wel iets over gehoord – ook al spreken ze hier haar naam liever niet uit. Ze heeft mijn vader verlaten. Ze reist. Ze heeft nooit méér bij zich dan ze onderweg nodig heeft, ook wat liefde betreft. Ik weet al lang niet meer hoe het met haar gaat, want sinds een jaar schrijven we elkaar niet meer. Maar vast en zeker vertelt ze in de treincoupé tussen twee stations in: "Mijn zoon is een dichter..." '

Stilte.

'Ja, en dan mijn vader. Hij is een voortreffelijk man. Ik houd van hem. Hij is zo waardig en heeft een hart van zuiver goud. Maar de mensen vragen hem: "Wat doet uw zoon?" En dan schaamt hij zich en wordt verlegen. Wat moet je dan zeggen? *Alleen maar* gedichten schrijven? Dat is domweg belachelijk. Zelfs al was het mogelijk – dat is toch geen status. Je bent van geen enkel nut, je hoort in geen enkele klasse thuis, hebt geen recht op pensioen, kortom: je staat buiten het leven.

Daarom mag men dat niet aanmoedigen, er nooit "Alla" tegen zeggen en "Mijn zegen heb je". Begrijpt u nu waarom ik mijn vader nooit iets laat zien – niemand hier trouwens; want ze beoordelen mijn probeersels niet, ze haten ze al bij voorbaat, en in mijn probeersels haten ze mij. En ik twijfel zelf al zo veel. Echt, hele nachten lig ik wakker met gevouwen handen en kwel me zelf met de vraag: "Verdien ik respect?" '

Ewald zwijgt bedroefd.

De anderen zijn inmiddels wakker geworden en gaan twee aan twee naar de zijkamer, waar de whisttafels gereed staan.

De inspecteur is in een goed humeur. Hij geeft zijn

zoon een licht schouderklopje: 'Gaat het, ouwe?'

En Ewald probeert te glimlachen en kust hem de hand.

Hij blijft tóch wel, denkt de inspecteur: heel verstandig. En zo gaat hij achter de anderen aan.

De jonge Tragy vergeet zijn glimlachje onmiddellijk en klaagt: 'Ziet u, zo houdt hij mij eronder. Heel zachtjes, niet met geweld of beïnvloeding, bijna alleen maar door me eraan te herinneren dat ik zijn zoon ben, alsof hij zegt: "Eens was je klein en ik heb ieder jaar de kaarsjes van de kerstboom voor je aangestoken... denk daar wel aan." Daarmee maakt hij me helemaal week. Uit zijn goedheid kun je niet ontsnappen en achter zijn woede gaapt een afgrond. Ik heb niet genoeg moed om daar overheen te springen.

Ik geloof dat ik trouwens helemaal laf ben, gelooft u me maar, laf en onbeduidend. Ik zou het best vinden om hier te blijven zoals iedereen denkt, braaf en bescheiden te zijn en altijd en altijd weer één en dezelfde armzalige dag te leven...'

'Nee,' zegt Jeanne op besliste toon, 'dat meent u niet.'

'O nee, misschien niet. U moet namelijk weten: ik zeg heel vaak dingen die ik niet meen, al naar behoefte, nu eens fantaseer ik naar boven, dan weer naar beneden; ik zou in het midden moeten zitten, maar soms geloof ik dat er tussen boven en beneden niets is. Ik kom bij voorbeeld op bezoek bij tante Auguste. Het is er licht en in de voorvaderlijke woonkamer is het ingezellig. En ik ga zonder plichtplegingen in de beste stoel zitten, sla mijn benen over elkaar en zeg: "Lieve tante," zeg ik ongeveer, "ik ben moe en daarom ga ik mijn vuile voeten op je canapé leggen, recht op de schone sprei... u permitteert?" En om te voorkomen dat mijn brave tante me met haar plezier over deze grap nodeloos lang ophoudt doe ik het maar meteen; want ik heb haar nog een heleboel te vertellen, dit bij voorbeeld: "Dat is allemaal toch wel heel goed en mooi; ik weet het, er zijn wetten en zeden en de mensen plegen zich daar min of meer aan te houden. Maar mij mag je niet tot die eerzame staatsburgers rekenen, beste tante. Ik ben mijn eigen wetgever en koning, niemand staat boven mij, zelfs God niet." Ja juffrouw, zo ongeveer praat ik tegen mijn tante, en ze is rood van verontwaardiging. Ze siddert: "Anderen hebben hun kop al leren buigen..." "Best mogelijk," antwoord ik onverschillig. "Jij bent niet de eerste, en voor mensen met dat soort meningen zijn er godzijdank gekkenhuizen en tuchthuizen...," – mijn tante huilt al – "van jouw soort zijn er honderden." Maar daar protesteer ik tegen: "Nee," schreeuwde ik haar toe, "er bestaat niemand zoals ik, zo iemand heeft er nog nooit bestaan..." Ik blijf maar schreeuwen, want met die frase moet ik me zelf overschreeuwen. Tot ik plotseling in de gaten krijg dat ik in een vreemde kamer voor een hulpeloze oude dame sta en een of andere rol speel. Dan sluip ik er schuw vandaan, loop de straat door en ga mijn kamer binnen, nog juist op tijd voordat ik in tranen uitbarst. En dan...' Ewald Tragy schudt heftig met zijn hoofd, als wil hij zijn gedachten, die zich steeds hoger in hem opstapelen, laten instorten.

Hij weet: welbeschouwd huil ik dan, omdat ik me zelf verraden heb.

Maar hoe moet ik dat verklaren en waarom ook? Dat zou immers wéér een verraad zijn.

En hij haast zich te verzekeren: 'Onzin juffrouw, u moet niet denken dat ik dan echt huil.'

En de leugen doet hem al pijn.

Het was zo weldadig om zijn hart bij iemand uit te storten en nu is alles weer bedorven. Je moet niet altijd in oude fouten vervallen, denkt Tragy en zwijgt ontstemd.

De juffrouw zwijgt eveneens.

Ze luisteren: de kaarten vallen op de speeltafels als druppels van een boom die iemand schudt. En van tijd tot tijd met veel dikdoenerij: 'Tante geeft.'

Of: 'Wie schudt?'

Of: 'Klaver is troef.'

En: het giechelen van de vier nichtjes.

Jeanne denkt na. Ze wil iets liefs zeggen, en omdat het voor hem is: iets in het Duits. Maar ze weet niet hoe ze de vreemde woorden moet verwarmen, daarom zegt ze ten slotte op smekende toon: 'Wees niet bedroefd.' En schaamt zich.

De jongeman slaat de ogen op en kijkt haar ernstig en nadenkend aan, zo lang dat zij ten slotte niet meer gelooft: ik heb vast iets onzinnigs gezegd. Dan knikt hij licht en neemt met voorzichtige ernst een van haar handen tussen de zijne. Het heeft veel weg van een experiment, en hij weet niet wat hij met deze meisjeshand moet doen, want hij laat hem los, de jongeman, hij laat de hand eenvoudig vallen.

Inmiddels heeft Jeanne een tweede Duitse zin bedacht, waar ze erg trots op is: 'U hebt toch nog niets verloren?'

Nu vouwt Ewald zijn handen in de schoot en kijkt door het raam naar buiten.

Stilte.

'U bent nog zo jong...,' troost het meisje hem verlegen.

'Oh,' zegt hij. Hij is er eerlijk van overtuigd dat het leven voor hem eigenlijk afgedaan heeft. Het is niet door hem heen, maar definitief aan hem voorbij gegaan. Hij huichelt dan ook niet maar is oprecht bedroefd als hij zegt: 'Jong? Gaat het daar soms om? Ik heb alles verloren...'

Stilte.

'...ook God,' en hij vermijdt opzettelijk iedere gezwollenheid in zijn toon. Nu glimlacht het meisje; ze is streng gelovig.

Hij begrijpt dit glimlachen niet, juist nu stoort hij zich eraan en hij is lichtelijk gekwetst. Maar ze komt om vergiffenis vragen, ze staat op en zegt: 'Ewald,' ze spreekt het uit met een foutieve klemtoon op de a en een donkere stomme e aan het eind, wat er een geheimzinnige klank aan geeft, als een belofte, 'ik geloof dat u alles nog moet vinden...'

En terwijl ze dat zegt staat ze hoog en plechtig voor hem.

Hij buigt het hoofd nog dieper en wil zich breed maken: 'Meisjelief,' zo heel weemoedig superieur, en toch voelt hij meteen daarna een vage dankbaarheid en zou hij willen dat hij kon juichen: 'Ik weet het.'

En hij doet noch het een, noch het ander.

Dan valt het iemand in de speelkamer op dat het ernaast zo stil is geworden. Mevrouw Von Wallbach fronst het voorhoofd en commandeert onmiddellijk: 'Jeanne!'

Jeanne treuzelt.

De gastvrouw maakt zich oprecht bezorgd en de vier nichtjes helpen haar: 'Juffrouw!'

Dan buigt de Française zich naar hem toe, en niet uit te maken valt of dit een vraag of een bevel is: 'En... u vertrekt?!'

'Ja,' mompelt Ewald vlug, terwijl hij gedurende een seconde haar hand door zijn haar voelt gaan. Hij belooft een onbekend meisje de wereld in te gaan en beseft niet in het minst hoe wonderlijk dit alles is.

2

Het is haast niet te geloven: Ewald Tragy slaapt veertien volle uren. En dat in een vreemd, ellendig hotelbed, terwijl het op het stationsplein al vanaf vijf uur in de vroegte zonnig en lawaaiig is. Hij heeft zelfs vergeten te dromen hoewel hij weet dat 'eerste dromen' een bijzondere betekenis hebben. Hij troost zich met de gedachte dat alles nu bewaarheid kan worden, of je er nu van gedroomd hebt of niet, en rekt deze ledige slaap uit tot één lange, lange gedachtestreep achter alles dat nu voltooid verleden tijd is. Klaar. Zo, en nu? En nu kan het beginnen – het leven, of wat nu eenmaal aan de beurt is om te beginnen. De jongeman strekt zich behaaglijk in de kussens uit. Wil hij soms zó, in deze weldadige warmte, de gebeurtenissen in ontvangst nemen? Hij wacht nog een half uur maar het leven komt niet. Dan staat hij maar op en besluit het tegemoet te gaan. En dat men dát moet doen is zijn inzicht van de eerste ochtend.

Dit inzicht stemt hem voldaan, zet hem in beweging, geeft hem een doel en drijft hem naar buiten, de nieuwe, lichte stad in. Hij weet allereerst alleen maar dat de straten eindeloos lang en de trams belachelijk klein zijn, en is dadelijk geneigd beide fenomenen door elkaar te verklaren, hetgeen hem buitengewoon op zijn gemak stelt. Alle dingen interesseren hem, niet in de laatste plaats de grote en belangrijke. Maar later op de dag verzinkt alles in het niet bij de regenpijpen waarvoor Tragy steeds dieper peinzend blijft staan. Hij glimlacht niet meer om de daarop aangeplakte briefjes en hun beloften en heeft geen tijd meer om zich over de zonderlinge taal te verbazen waarin ze gesteld zijn. Hij vertaalt ze met krampachtige ijver en schrijft een groot aantal namen en nummers in zijn agenda.

Ten slotte neemt hij de eerste proef op de som. In de vestibule trekt hij zijn das recht en neemt zich voor: ik zal heel beleefd zeggen: 'Neemt u mij niet kwalijk, maar hier is toch een kamer voor een heer vrij?' Hij belt aan, wacht en zegt het beleefd, in beschaafde bewoordingen, met bescheiden intonatie. Een grote brede vrouw duwt hem meteen links een deur binnen, nog voor hij zijn vraag heeft afgemaakt.

'Weet u, ik zeg u meteen waar 't op staat. Hij is schoon. En als ik u nog ergens anders mee kan helpen...' En daarna wacht zij, haar handen in haar zij geplaatst, op zijn beslissing.

Het is een klein vertrek met twee ramen en oude onhandige meubelen en het is nu al helemaal in schemerduister gehuld, zodat je het gevoel hebt er een massa dingen bij te huren waarvan je niet had kunnen dromen.

En omdat de jongeman geen woord zegt en de donkere kamer nauwelijks in ogenschouw neemt, voegt de vrouw er aarzelend aan toe: 'En 't kost twintig mark de maand inclusief ontbijt, dat hebben we er nu eenmaal altijd voor gekregen.' Tragy knikt een paar keer. Dan loopt hij naar de oude secretaire die in een hoek staat, keurt het brede, uitgeklapte schrijfblad en glimlacht, trekt twee of drie van de schuifladen daarachter open en glimlacht weer: 'Die blijft hier toch wel staan, hè, die schrijftafel?' informeert hij en zijn besluit staat vast: ik blijf ook. Maar dan schiet de lange rij huisnummers in zijn agenda hem te binnen als een verplichting en hij haast zich eraan toe te voegen: 'Dat wil zeggen, tot morgen kan ik er zeker wel over nadenken?'

'Wat mij betreft wel.'

En Tragy prent zich het huis goed in en schrijft in zijn agenda: 'Mevrouw Schuster, Finkenstrasse 17 achter, parterre, schrijftafel'. Achter 'schrijftafel' drie uitroeptekens. Hierna is hij erg voldaan over zich zelf en gaat vandaag niet meer op onderzoek uit.

Maar de volgende morgen begint hij in alle vroegte de adressen in zijn agenda af te werken. En dat is geen kleinigheid. 's Ochtends, zolang de mensen nog fit zijn en de kamers goed gelucht, schept hij nog wel plezier in zijn zwerftocht. Hij noteert nauwkeurig alle voordelen – daar een erker met uitzicht, tegenover een canapé, en een badkamer op nummer 23, twee trappen, nergens meer een schrijftafel overigens. In de marge noteert hij hier en daar een kleine waarschuwing, bij voorbeeld: 'kleine kinderen' of 'piano' of 'café'. Dan worden de notities steeds spaarzamer en haastiger; zijn indrukken veranderen op een heel vreemde manier. Terwijl zijn ogen steeds minder waarnemen, neemt de gevoeligheid van zijn reukorgaan in dezelfde mate toe en tegen de middag heeft hij dit gewoonlijk verwaarloosde zintuig zozeer gescherpt dat de buitenwereld alleen nog via zijn neus tot hem doordringt. Hij denkt: aha, linzen, of: zuurkool, en maakt al op de drempel rechtsomkeert als hem ergens een wasdag tegemoet komt walmen. Hij vergeet het doel van zijn bezoeken en bepaalt zich ertoe alleen de bijzondere aard te determineren van de diverse luchtjes die hem uit de belachelijk kleine keukentjes als losgelaten honden aanvliegen. Daarbij loopt hij krijsende kindertjes omver, lacht de vertoornde moeders dankbaar toe en geeft sprakeloze grijsaards, die hij ergens in een hoekje van de kamer aan het schrikken maakt, de verzekering van zijn bijzondere hoogachting.

Ten slotte zijn alle portalen even donker en wordt hij, waar hij ook aanbelt, door steeds dezelfde omvangrijke vrouw opengedaan, overal krijsen dezelfde kinderen naar hem en op de achtergrond doemt telkens weer de in zijn rust gestoorde oude heer op met van die verschrikte, niet begrijpende ogen.

Ewald Tragy vlucht in paniek weg. Hij komt pas op verhaal zodra hij aan de oeroude schrijftafel met de talloze laden zit en begint te schrijven: 'Lieve pappa, ik woon: Finkenstrasse 17 bij Schuster.' Dan denkt hij lang na en ten slotte besluit hij morgen aan de brief verder te werken.

En later gebruikt hij de secretaire maar zelden. Zo brengt hij de eerste weken door, de hele dag uit huis, zonder eigenlijk plan, steeds met het gevoel: tja, wat wil ik nu eigenlijk? Hij gaat naar de galeries en de schilderijen vallen hem tegen. Hij koopt een 'Gids voor München' en wordt daar moe van. Tenslotte probeert hij zich te gedragen alsof hij hier jarenlang zal blijven wonen, en dat valt niet mee. Zondags zit hij tussen de spitsburgers op een café-terras en gaat te voet naar de Oktoberwiese buiten de stad, waar de kermistenten en de carrousels staan, en rijdt 's middags in een vigilante naar de Engelse tuin. Daar brengt hij soms een uur door dat hij niet graag zou willen vergeten, zo tussen vijf en zes, als de wolken aan de hoge hemel fantastische vormen en kleuren krijgen en zich plotseling als bergen achter de vlakke grasvelden van de Engelse tuin opstapelen, zodat je vanzelf denkt: morgen wil ik die bergtop beklimmen. En dan regent het de volgende dag en hangt de mist vet en zwaar in de eindeloze straten. Altijd weer komt er zo'n volgende dag die je verhindert iets te doen, en de jongeman wacht tot daar verandering in komt. Er is niemand aan wie hij zou kunnen vragen wat men doet in zijn geval. Met de hospita wisselt hij als ze hem het ontbijt brengt tien woorden, en elke avond komt hij haar man tegen, de privé-koetsier van een graaf, en groet hem uiterst beleefd. Hij weet dat het echtpaar een dochter heeft en hij hoort vaak 's avonds als het in het huis helemaal stil is aan de andere kant van de muur een dunne meisjesstem 'Mamma' zeggen. Ze leest iets voor en soms zou je geloven dat het verzen zijn die ze voorleest.

Dat heeft tot gevolg dat Ewald nu vroeger naar huis gaat, zijn thee drinkt en boven zijn werk of boek tot diep in de nacht op blijft. Telkens als die stem van daarnaast begint glimlacht hij, en zo raakt hij langzaam maar zeker aan zijn kamer gehecht. Hij houdt zich nu meer met zijn kamer bezig, neemt bloemen mee naar huis en praat overdag vaak hardop, alsof hij voor deze vier muren geen geheimen meer heeft. Maar hoe hij zich ook voor zijn kamer uitslooft, de dingen houden iets kouds en afwijzends, en hij heeft 's avonds vaak het gevoel dat er hier behalve hij zelf nog iemand woont, die zonder op zijn rechten inbreuk te maken de voorwerpen mede gebruikt, die dit gehoorzaam ondergaan. Dit gevoel wordt nog versterkt door het volgende voorval.

'Wat vreemd,' zegt Ewald op een ochtend, juist als mevrouw Schuster zijn koffie neerzet, 'kijkt u eens, deze twee laden van de schrijftafel krijg ik niet open. Hebt u misschien een sleutel? Zoudt u er anders een willen laten maken?' En hij wrikt aan de twee meest geheime laden van het kastje. 'Neemt u mij niet kwalijk,' zegt mevrouw Schuster aarzelend en uit verlegenheid spreekt ze algemeen beschaafd, 'maar ik mag die twee laden niet open maken, omdat...'

Tragy kijkt verbaasd op.

'U moet namelijk weten, meneer, dat zit zo: ooit hebben we een heer gehad die het erg slecht vergaan is. En omdat-ie ons niet kon betalen heeft-ie de commode hier gelaten en gezeid: in die twee laden laat ik belangrijke papieren voor u achter als pand, zei-die en toen heeft-ie de sleutel meegenomen...'

'Zo zo,' zegt Tragy en ziet er ongeïnteresseerd uit. 'Is dat al lang geleden?'

'Nou,' denkt de vrouw na, 'dat zal zo'n zeven of acht jaar wezen – dat we niks meer van hem gehoord hebben; maar hij kan 'm best nog eens komen ophalen, niet? Je weet nooit...'

'Zeker, zeker...,' zegt Tragy achteloos, neemt zijn hoed en gaat weg. Hij heeft helemaal vergeten te ontbijten.

Voortaan werkt Tragy aan de ovale sofatafel die hij schuin voor het andere raam heeft geschoven; want het is al laat in oktober en de secretaire staat veel te dicht bij het raam. Daarmee is deze wijziging op de meest voor de hand liggende manier verklaard.

En de jongeman ontdekt nog veel meer voordelen aan deze nieuwe plaats, bij voorbeeld: dat je er recht uit het raam kijkt. Het lijkt wel een plaat. De binnenplaats, waar de kastanjes langzaam staan te verdorren. (Het zijn toch kastanjes?) Een oude stenen welpomp, helemaal op de achtergrond, siepelt onverdroten een begeleidend lied. En er prijkt zelfs iets als een reliëf op zijn sokkel. Wat zou het fijn zijn als je kon zien wat het voorstelt. Ach, wat wordt het toch vroeg donker, we zullen zo dadelijk de lamp aan moeten steken. Overigens: als het buiten volkomen windstil is, zoals nu, wat vallen de bladeren dan langzaam, belachelijk langzaam. Plotseling staat er een bijna stil in de dikke vochtige lucht en kijkt naar binnen, kijkt naar binnen... als gezichten, als gezichten, als gezichten... denkt Tragy en blijft onbeweeglijk zitten en kijkt lijdzaam toe hoe iemand zich tegen het raam drukt en strak naar binnen staart, zo opdringerig dichtbij dat zijn neus tegen de ruit geplet wordt en zijn gelaatstrekken iets plats, vampierachtigs, gulzigs krijgen. Ewalds blik tast gebiologeerd de lijnen van dit gezicht af tot hij plotseling als in een ravijn in de vreemde, loerende ogen stort. Dat geeft hem zijn bewustzijn terug. Hij springt op en is al bij het raam. De grendels gehoorzamen niet meteen aan zijn bevende handen, en de persoon buiten is al ver weg, als Tragy in de mist naar buiten leunt.

Blijkbaar heeft de frisse lucht hem gekalmeerd; want hij doet verder niets ongewoons meer. Hij steekt de lampen aan, zet thee als op andere dagen en men zou zeggen dat hij het voor hem liggende boek geboeid leest.

Slechts één ding is vreemd: hij gaat niet naar bed. Hij wacht tot de lamp uitdooft; dat is omstreeks half twee. Dan steekt hij de kaars aan en kijkt geduldig toe tot die op de bodem van de kandelaar is weggesmolten. En ook is er al een schoorvoetend licht achter de ruit te zien. Een korte nacht, niet waar? Voor Ewald is het geen probleem of hij moet verhuizen of niet. Dat is een uitgemaakte zaak. Hij weet alleen nog niet precies hoe hij het moet zeggen: 'Het spijt me, mevrouw Schuster,' of: 'Ik had echt niets te klagen bij u, maar...' En hij blijft rusteloos aan deze armzalige volzin sleutelen.

En 's ochtends is hij tot de onomstotelijke conclusie gekomen dat het ondenkbaar is dat je ergens de huur zou opzeggen, omdat daar geen enkele juiste formulering voor bestaat. Dus blijf je zitten waar je zit. Je moet je nu eenmaal ergens installeren. Zo zit het nu eenmaal met deze kamer: de vroegere bewoners zijn er nog niet helemaal uit en de toekomstige staan al te dringen. Wat kun je onder zulke omstandigheden anders doen dan verdraagzaamheid betrachten? En op deze zondag besluit Ewald zich zo klein mogelijk te maken, zijn onbekende kamergenoten geen strobreed in de weg te leggen en heel gewoon als de onbeduidendste met hen samen te leven in dit massalogies in de Finkenstrasse.

En kijk: dat gaat goed. Er volgen een paar heel draaglijke weken en het wordt zoetjesaan november en je krijgt in ruil voor de korte, sombere dag een lange nacht waarin ruimte genoeg is voor alles.

Meteen maar over naar: de Luitpold. Het is daar niet mis. Je gaat aan een van de kleine marmeren tafeltjes zitten en legt een stapel kranten naast je neer en je ziet er meteen uit alsof je het vreselijk druk hebt. Dan komt er een juffrouw in het zwart en die giet terloops je kopje vol met van die slappe koffie, o God, zo vol dat je er geen suiker meer bij durft te gooien. Je zegt 'met melk' of 'zwart' en op je wenken wórdt het ook 'met melk' of 'zwart'. Ten overvloede zeg je toch nog iets geestigs als je dat toevallig paraat hebt en dan glimlacht Minna of Bertha een wat vermoeide, onbestemde glimlach en zwaait de nikkelen kan in haar rechterhand heen en weer.

Tragy ziet alleen maar hoe het bij de andere tafeltjes toegaat. Zelf laat hij het bij een 'dank u', want deze zwarte dames, die er overdag zo verlept uitzien, zijn hem zeer onsympathiek; alleen met de kleine Betty, die hem zijn mineraalwater komt brengen, heeft hij medelijden. De hemel mag weten waarom hij haar iets liefs wil bereiden, maar het is nu eenmaal een feit, op een dag drukt hij haar behalve de fooi een dichtgevouwen papiertje in de hand en verheugt zich over de schittering in haar ogen. Het is een lot van een of andere loterij en je kunt er vijftigduizend mark mee winnen. Maar de kleine Betty ziet er diep teleurgesteld uit als ze even later achter de pilaar vandaan komt en zegt helemaal geen dank u wel. Dat zijn zo van die kleine incidenten die de jongeman dieper raken dan hij zelf gelooft. Ze geven hem het gevoel dat hij een buitengeslotene is, dat hij als het ware naar de zeden en gebruiken van een ver land leeft terwijl de mensen hier elkaar allemaal met een lachje en terloops gemak begrijpen. Hij zou zo graag bij hen willen horen, opgenomen worden in de grote stroom, en nu en dan gelooft hij bijna dat het zo ver is. Tot er weer een futiliteit plaatsvindt die bewijst dat de verhouding ongewijzigd is gebleven: hij aan de ene kant en de hele wereld aan de andere. En leefde daar nu maar iemand.

Juist in die tijd, waarin Tragy ernaar hunkert iemand te leren kennen, krijgt hij een brief. Deze luidt: 'Ik hoor toevallig dat u in München bent. Ik heb veel van u gelezen en koester hoge verwachtingen omtrent een eventuele ontmoeting, bij u thuis, bij mij thuis of op neutraal terrein, zoals u wilt en... indíen u wilt.'

En Tragy wil niet. Hij kent de naam die onder de brief staat al lang uit tijdschriften en poëziebloemlezingen en heeft niets tegen Wilhelm von Kranz, volstrekt niet. Maar zodra deze heer een vinger naar hem uitsteekt kruipt hij als een slak in zijn schulp. Waar hij gisteren nog naar verlangde slaat om in een gevaar zodra het werkelijkheid dreigt te worden, en hij vindt het ongehoord dat iemand zomaar, zonder meer, bij wijze van spreken met vuile schoenen, zijn eenzaamheid binnen wil dringen waarin hij zelf alleen maar op zijn tenen durft te lopen. Dus antwoordt hij niet op de brief en mijdt bovendien omzichtig ieder 'neutraal terrein', is vaak thuis en krijgt daardoor af en toe ook de dochter des huizes te zien, van wie hij tot dan alleen de stem kende.

Op een dag vraagt hij haar als zij de koffie brengt: 'Wat leest u 's avonds toch altijd, juffrouw Sophie?'

'O, wat we toevallig in huis hebben. Veel boeken

hebben we niet... maar, kunt u dat hier dan horen?'

'Woord voor woord,' overdrijft Ewald.

'Hebt u er erge last van?'

En Tragy zegt maar: 'Nee hoor, ik heb er geen last van. Maar als u van lezen houdt wil ik u graag een boek lenen dat ik bij me heb. Het is niet veel, maar toch is het veel.' En hij reikt haar een deeltje Goethe aan.

Deze communicatie, hoe bescheiden ook, vult bij Tragy een leemte, wordt een stabiele gedachte te midden van de chaos die door zijn ziel spoelt, en hij rust graag bij deze gedachte uit. Dit te leen geven van een boek is op de keper beschouwd hetzelfde als een lot cadeau doen. Maar dit keer krijgt Tragy er een sympathiek bedankje voor terug. Dat vrolijkt hem op.

Ook die middag waarop hij onverwachts thuiskwam en stemmen in zijn kamer hoorde was hij in een goed humeur. Hij houdt zijn passen in en luistert. Haastige, gedempte woorden die voor zijn voetstappen schijnen te vluchten, en dan staat er een jongeman met een breed, dik gezicht voor zijn deur en fluit, fluit zomaar wat voor zich heen, zonder complimenten. En juist als Ewald hem aan de tand wil voelen komt Sophie uit zijn kamer, doodsbleek, en doet alsof dit allemaal vanzelf spreekt. Dan zegt ze weifelend: 'Het komt door deze meneer..., die... hij wilde de kamer zien, meneer Tragy.'

Ze kijken elkaar aan. De onbekende houdt op met fluiten en groet. En doordat hij daarbij glimlacht wordt zijn gezicht breed en wazig en Tragy moet aan iets onaangenaams denken. Toch groet hij vluchtig terug door aan de rand van zijn hoed te tippen en gaat zijn kamer binnen.

Hij merkt pas enige tijd later dat Sophie achter hem bij de deur staat, heeft plotseling vreselijk veel te doen, versjouwt volstrekt onnodig voorwerpen van de ene tafel naar de andere en bukt zich nu en dan om iets op te rapen. Maar ten slotte is hij dan toch klaar met dit onzalige opruimen en nu moet hij het meisje zeker vragen: wat wilt u? Want ze zal toch wel een reden hebben om daar zo te blijven staan.

Plotseling komt hij op een idee en zegt de andere kant uit, ergens in de richting van een hoek van de kamer: 'U hoeft niet bang te zijn, ik zal niets zeggen. Dat wilt u toch van me horen, niet? Goed. Maar volgende maand verhuis ik; dat was ik toch al van plan...'

En hij zit al te schrijven aan de tafel, geconcentreerd, alsof hij al twee uur bezig is. Maar het wordt alleen maar een heel kort briefje aan de heer Von Kranz, waarin hij hem verzoekt morgen om vier uur in de Luitpold te komen, als het hem dan schikt. Pas nadat hij het adres op de envelop heeft geschreven kijkt hij voorzichtig om. Er is niemand meer, en Ewald trekt andere schoenen en een ander pak aan, want hij heeft besloten het avondeten buitenshuis te gebruiken.

Het voorgestelde tijdstip komt de heer Von Kranz goed uit, zoals trouwens elk tijdstip hem goed zou zijn uitgekomen. Hij heeft het namelijk niet overmatig druk. Hij schrijft iets groots, een epos of iets dat het epos overtreft, in ieder geval iets volkomen nieuws, iets dat alleen uit 'hoogtepunten' bestaat, zo heeft hij zijn nieuwe kennis in het eerste half uur van hun gesprek verzekerd. Zulk een werk kan echter zoals iedereen weet alleen uit inspiratie voortkomen, uit de diepe geestvervoering die (volgens de heer Von Kranz) 'de droom van de donkere middeleeuwen verwezenlijkt en overal goud van maakt.' Zo iets gebeurt uiteraard midden in de nacht of op een andere ongeloofwaardige tijd, maar in elk geval niet om vier uur 's middags, een tijdstip waarop zoals bekend alleen de doodgewoonste dingen kunnen gebeuren. En daarom heeft de heer Von Kranz niets te doen en zit hij in de Luitpold tegenover Tragy. Hij is zeer spraakzaam, want Ewald zwijgt veel, en Kranz houdt niet graag zijn mond, schijnt het. Hij beschouwt het zwijgen als een voorrecht der eenzamen, maar als twee of drie mensen bij elkaar zitten heeft het in feite geen zin, tenminste geen zin die men op het eerste gezicht begrijpt. En vooral niets duisters of onbegrijpelijks, in het leven tenminste niet. In de kunst? Ah, dat is wat anders, daar heb je immers het symbool, niet waar? Donkere contouren tegen een lichte achtergrond, niet waar? Versluierde beelden... is het niet zo? Maar in het leven... symbolen, oh... belachelijk.

Nu en dan zegt Ewald 'Ja' en vraagt zich verwonderd af waar ter wereld hij deze enorme massa ongebruikte ja's vandaan heeft gehaald. En verwondert zich over al die grote woorden en over het kleine leven ergens helemaal beneden. Want in deze namiddag leert hij de complete wereldbeschouwing van de heer Von Kranz, deze wereldbeschouwing in vogelvlucht, kennen en... en verbaast zich nu eenmaal. Hij is jong, ziet de dingen voor feiten aan en de zinsgewaarwordingen voor avonturen en heeft af en toe zin een paar van deze briljante belijdenissen op te schrijven, omdat hij ze zo uit de verte niet in hun samenhang kan overzien. Maar wat hem het meest verrast is de stelligheid van al deze overtuigingen, het moeiteloos gemak waarmee Kranz het ene inzicht naast het andere voor zich uitstalt, echte eieren van Columbus zijn het: als er een niet direct rechtop wil blijven staan een klap op het tafelblad, en... het staat.

Of dat handigheid is of kracht – wie wil zich daarover een oordeel aanmatigen? De heer Von Kranz gaat er oprecht in op. Hij spreekt zeer luid en is de plaats van handeling zo te horen totaal vergeten. Als een storm, die in vreemde kamers de ramen openrukt, zo vallen zijn woorden alle gesprekken rondom binnen, totdat men ten slotte zijn verzet opgeeft en overal de ramen laat openstaan. En dán is de storm pas echt in zijn element. Zelfs de mooie Minna vergeet in te schenken, blijft tegen een pilaar geleund staan en luistert naar hem. Jammer genoeg met een impertinente uitdrukking in haar ogen. En plotseling neemt ze met die grote, groene ogen de flitsende blik van de dichter gevangen en temt hem, maakt hem klein, onbeduidend, nietig, en laat hem met een gemeen lachje eenvoudig vallen.

De heer Von Kranz is een moment van zijn stuk gebracht. Hij valt bijna uit het zadel, doet echter meteen alsof dat een opzettelijke zwaaimanœuvre was en gooit haar een van die kleverige woorden voor de voeten die meer van een kikker weg hebben dan van een bloem. Meteen daarop is hij weer waar hij was blijven steken en zelfs bij een climax, namelijk bij het onderwerp: 'Hoe ik Nietzsche overwon.'

Maar Ewald Tragy luistert opeens niet meer. Hij ontdekt dat pas veel later, als Kranz een of ander betoog heeft beëindigd en zit te wachten. Dit wachten betekent: en u? U heeft toch hopelijk ook zo iets als een mening over dit alles? Mag ik u nu om úw wereldbeschouwing verzoeken?

Tragy begrijpt dat niet onmiddellijk, en als hij het eindelijk begrijpt raakt hij in een onbeschrijfelijke verwarring. Hij staat midden in de chaos als diep in een bos waarin hij niets dan bomen, bomen, bomen ziet en nauwelijks weet of het boven die bomen dag is dan wel nacht. En toch moet hij precies zeggen hoe laat het is, op de minuut af precies, zonder daaromtrent ook maar de geringste twijfel te laten bestaan. Hij is bang dat hij de heer Von Kranz met zijn zwijgen beledigt; maar deze wordt steeds milder, belangstellender, bijna vaderlijk, en beveelt snel: 'Afrekenen!' Zo gevoelig is hij wel.

De volgende dag echter krijgt Tragy steeds sterker het gevoel dat hij zijn nieuwe kennis iets van zich zelf moet geven, niet uit sympathie, maar omdat hij hem sinds die openhartige namiddag zijn vertrouwen schuldig is. En als het tweetal naar de Engelse tuin loopt – er is weer zo'n schemering met een wolkengebergte aan de kim – zegt hij opeens: 'Ik ben altijd zielsalleen geweest. Toen ik tien was kwam ik op een militair internaat onder vijfhonderd kameraden terecht en – desondanks... Ik was daar erg ongelukkig – vijf jaar lang. En toen stuurden ze me naar een andere school en toen naar weer een andere, enzovoort. Weet u, ik ben altijd alleen geweest...'

Als dat alles is, denkt de heer Von Kranz, dát is te verhelpen. En sindsdien vergezelt hij Ewald altijd, vanaf de vroege ochtend tot vaak diep in de nacht. En hij doet dat op zo'n vanzelfsprekende manier, dat Tragy zijn eenzaamheid niet meer durft af te sluiten; hij leeft bij wijze van spreken met de deur open. En de heer Von Kranz komt en gaat en komt en gaat. Hij heeft daar een zeker recht op, want: 'We delen eenzelfde lot, mijn beste Tragy,' beweert hij. 'Ook mij begrijpen ze thuis niet, natuurlijk niet. Ze noemen me overspannen, een gek, een komediant...'; hij vergeet dit nooit als aanleiding te gebruiken om te vermelden dat zijn vader hofmaarschalk is aan een klein Duits hof en dat men er in die kringen – die hij duidelijk erg laag aanslaat – de bekende conservatieve elite-opvattingen op nahoudt. Aan deze zelfde opvattingen heeft hij het ook te danken dat hij luitenant moest worden, gardeluitenant nota bene, en hij bezweert dat hij zich alleen met de allergrootste moeite in de reserve kon terugtrekken, als het ware tegen de sympathie van zijn meerderen en ondergeschikten in. En dat men thuis op slot Seewies-Kranz zijn nieuwe beroepskeuze niet, maar dan ook absoluut niet goedkeurt en dat men hem daar het liefst op een pak slaag trakteerde, dat behoeft geen betoog. Maar ondanks alles geeft hij de strijd niet op. Integendeel. Hij heeft zich verloofd, ja, keurig volgens de regels, met gedrukte kaartjes. Zij is natuurlijk van zeer goede familie, voornaam, welopgevoed, niet rijk, maar bijna van adel. (Haar moeder is een gravin die-en-die.) Welnu, deze stap, die hij zonder omhaal ondernomen heeft, is toch wel een bewijs van zijn vrijheid, in zekere zin. Ook moet hij niet te lang wachten met het huwelijk, want: 'Mijn uittreding uit de kerk...' Kranz draait de punt van zijn blonde snor op en glimlacht.

'Ja,' zegt hij, buitengewoon tevreden over zich zelf en over Tragy's verbazing, 'dat schokt je wel, hè? Natuurlijk geef ik mijn officiersrang óók op... die offer ik voor mijn overtuiging. Wie lid is van een groep waarvan hij de wetten niet naleeft is ontrouw aan zich zelf...'

'Ontrouw aan zich zelf,' schiet Tragy op een keer midden in de nacht te binnen, wat is dat weer uitgebalanceerd, helder, beheerst gezegd. En sindsdien denkt hij bijna elke nacht terug aan een fragment uit zijn gesprekken met Kranz en zij komen hem alle even treffend en betekenisvol voor. De gevolgen blijven niet uit.

Op een morgen, in november nog, wordt Tragy wakker en heeft een wereldbeschouwing. Ongelogen. Ze is er onmiskenbaar, alle tekens duiden erop. Hij weet niet goed wiens eigendom ze is, maar daar hij haar nu eenmaal bij zich zelf heeft aangetroffen, neemt hij aan dat ze van hem zelf is. Vanzelfsprekend neemt hij haar spoedig mee naar de Luitpold. En nauwelijks heeft hij haar laten zien of hij heeft al een massa kennissen, die bijna als vrienden zijn, hem over zijn gedichten vertellen – die ze allen kennen – en hem om de vijf minuten een sigaret aanbieden: 'Neemt u er toch een.' Het ontbreekt er maar aan dat ze hem op de schouder slaan en hem tutoyeren. Maar Tragy rookt niet, hoewel hij voelt dat roken wél bij zijn wereldbeschouwing hoort, evenals de sherry die hij voor zich heeft staan, en het plan vanavond naar de balzaal Die Blumensälen te gaan, waar de vermaarde Branicka zingt.

En dan beweert iemand dat Kranz haar maar al te intiem kent, deze Branicka. 'Wát?'

Kranz haalt de schouders op en draait aan zijn snor;

hij is opeens op en top de luitenant en 'Von' Kranz. En iemand probeert leuk te zijn: 'Na de uren die hij bij zijn verloofde doorbrengt heeft hij toch zeker behoefte aan... afleiding.' Geschater; want dat vinden zij raak gezegd, 'subtiel', zoals de technische term luidt, en Kranz zelf verklaart die erop van toepassing.

Hij voelt zich trouwens helemaal als een vis in het water tussen deze jongelieden, die ten overvloede namen dragen, al zou men ermee kunnen volstaan hen te nummeren om hen uit elkaar te houden. Een hoge dunk heeft Kranz weliswaar niet van zijn vrienden, hij gebruikt ze als klankbord voor zijn eigen persoonlijkheid, en als Tragy op een dag naar een van hen vraagt zegt hij luchtig: 'Die? Och, je kunt er nog niet veel van zeggen of hij talent heeft of niet; wie weet...' en knoopt hier een uitvoerig gesprek aan vast over de 'taken der kunst', de 'technische eisen waaraan het drama moet voldoen' of de 'toekomst van het epos'.

Ook op dit terrein voelt Tragy zich een leek, en het komt niet tot een gelijkwaardige discussie omdat hij maar zelden iets weet tegen te werpen. Maar waar zijn onkunde hem in andere gevallen met zorg vervult, daar voelt hij deze tegenover dit soort zaken als een schild waarachter hij iets geliefds, iets dieps – hij kan zich niet voor de geest brengen wat – voor een onbekend gevaar in veiligheid kan brengen, en hij zou niet kunnen zeggen... voor welk gevaar. Ook schrikt hij er voor terug zijn collega al te veel vruchten van een stil uur te laten zien en hij leest hem maar heel zelden een paar fletse verzen voor, met zachte, onbewust klagende stem, en heeft dan onmiddellijk spijt en schaamt zich voor de bereidwillige bijval, luid, bot, van de ander. Zijn verzen zijn nu eenmaal ziek en in hun bijzijn moet je niet hardop praten.

Tragy houdt trouwens niet veel tijd over voor dergelijke huisvlijt. Zijn dagen zijn opeens zo druk bezet; en toch komt hij ze nu makkelijker door dan vroeger toen ze leeg waren en hij nog geen vaste pleister-

plaats had. Hij heeft een groot aantal kleine verplichtingen, dagelijkse afspraken met Kranz en diens kring,
hij is voortdurend bezig met iets dat eigenlijk geen
zin heeft, en voert vele gesprekken, die je zou kunnen
afbreken waar en wanneer je maar wilt. Daartegen-
over staat dat opwinding of onrust geheel ontbre-
ken; het is een voortdurend meedrijven waarbij de eigen wil niets te doen heeft. Er bestaat nog maar één
echt gevaar: het alleen zijn – en daarvoor weet iedereen elkaar te behoeden.

Zo staan de zaken tot die ene namiddag waarop de
heer Von Kranz met meer gewichtigdoenerij dan ooit
in de Luitpold zit en tegenover Tragy verklaart: 'Zolang we dat niet bereiken... is er niets bereikt. We hebben een kunst van hoogtepunten nodig, beste vriend,
iets dat boven het gewemel uitstijgt. Symbolen die
van land tot land op de bergtoppen in vlam staan...
een kunst als een appel, een kunst van signalen...'

'Nonsens,' zegt iemand achter hem en dat valt als
natte mortel op de briljante welsprekendheid van de
dichter en bedelft die.

Dit 'Nonsens' komt van een kleine, donkere man
die een lange trek neemt van een onwaarschijnlijk
kleine sigarettepeuk, en tegelijk met de as lichten zijn
grote zwarte ogen op, en zij doven er ook weer mee
uit. Dan slentert hij verder, en de heer Von Kranz
roept hem geërgerd achterna: 'Natuurlijk, Thalmann.'

En laat er voor Ewald op volgen: 'Dat is een vlerk.
Ik zou hem eens ter verantwoording moeten roepen.
Maar ach, hij heeft toch geen manieren. Hij telt toch
niet mee. Hem negeren, dat is het beste...' en hij po-
pelt om zijn betogen over de kunst der hoogtepunten te hervatten. Maar Tragy weert dat met ongewone energie af en vraagt koppig: 'Wie is dat?'

'Een jood uit een of ander klein gat, schrijft ro-
mans, geloof ik. Een van die twijfelachtige existenties
die hier bij tientallen rondlopen, bij tientallen. Vandaag komen ze godweet waar vandaan en overmor-

gen gaan ze godweet waarheen, en er blijft alleen maar een beetje vuil achter. U moet zich niet laten misleiden door een dergelijke manier van doen, beste Tragy...'

Zijn stem klinkt ongeduldig en dat betekent: geen woord meer hierover. En Tragy is het daar ook van harte mee eens en is bereid zich niet te laten misleiden.

Maar toch is het een keerpunt, deze namiddag. Hij kan dat belachelijke 'Nonsens' niet vergeten, dat zo zwaar en log boven op de geestvervoering van de profeet viel, en, wat erger is, hij hoort het nog steeds vallen – na iedere grote bekentenis van de heer Von Kranz klettert het neer en dan ziet hij ergens in zijn herinnering die kleine donkere man met zijn brede schouders en zijn sjofele jas staan glimlachen.

En precies zo treft hij hem een week later aan, op een avond in de Blumensälen. Alsof het de natuurlijkste zaak van de wereld is loopt hij op hem toe en begroet hem. God weet waarom. De ander verbaast zich al evenmin, hij vraagt alleen maar: 'Bent u hier met Kranz?'

'Kranz komt wat later.'

Stilte, en dan: 'Vindt u Kranz niet sympathiek?'

Thalmann knikt iemand op de parterre toe, terwijl hij antwoordt: 'Sympathiek? Zeurt u toch niet. Hij verveelt me.'

'En anders verveelt u zich nooit?' Tragy ergert zich aan de minachtende houding van de ander.

'Nee, daar heb ik geen tijd voor.'

'Merkwaardig dat u dan hier te vinden bent.'

'Hoezo?'

'Hier gaat men toch alleen maar uit verveling heen?'

'Anderen misschien, ik niet.'

Tragy verbaast zich over zijn eigen vasthoudendheid. Hij geeft het niet op: 'Dan bent u hier dus uit interesse voor wat hier gebeurt.'

'Nee,' zegt de donkere man en loopt weg. Tragy roept hem na: 'Waarom dan wél?'

Thalmann kijkt heel even om: 'Uit medelijden.'

'Met wie?'

'In de eerste plaats met u.' Zo laat hij Tragy staan en slentert verder, net als toen in de Luitpold. En Ewald is al om elf uur thuis en slaapt slecht die nacht.

De volgende dag is er sneeuw gevallen. Alle mensen zijn opgetogen over deze gebeurtenis, en als ze elkaar in de witte straten tegenkomen zeggen ze lachend tegen elkaar: 'Het blijft liggen' en verheugen zich. Ewald komt Thalmann op de hoek van de Theresienstrasse tegen en ze lopen samen een stuk op. Lange stilte, tot Ewald begint: 'U schrijft, is het niet?'

'Ja, ook dat, als het zo uitkomt.'

'Ook? Dus het is niet uw hoofdbezigheid?'

'Nee...'

Stilte.

'Wat doet u dan, als ik vragen mag?'

'Kijken.'

'Hè?'

'Kijken en de rest... eten, drinken en slapen van tijd tot tijd, niets bijzonders.'

'Je zou zeggen dat u zich aan één stuk door vrolijk maakt.'

'Zo, waarover dan wel?'

'Over alles, over God en de wereld.'

Thalmann antwoordt niet, maar lacht hem toe: 'En u, schrijft u veel gedichten?'

Tragy bloost en zegt niets. Hij kan geen woord uitbrengen.

En Thalmann glimlacht alleen maar.

'Vindt u dat soms een schande?' perst Tragy er ten slotte uit en heeft het koud.

'Nee. Ik vind helemaal niets een... wat dan ook. Het is alleen maar.. . overbodig. Maar ik moet hier naar boven.' En in de deuropening: 'Adieu, en u kon wel eens gelijk hebben wat dat vrolijk maken betreft.'

En dan is Tragy weer alleen. Hij moet denken aan de tijd dat hij als verwend jongetje van tien uit huis ging en in een sfeer van louter rauwe onverschilligheid belandde, en hij voelt zich precies als toen, verschrikt, hulpeloos, nergens geschikt voor. Het is altijd hetzelfde. Alsof hij iets mist dat je nodig hebt om het leven aan te kunnen, een of ander belangrijk orgaan, zonder welk je nu eenmaal niet vooruit komt. Waartoe steeds weer al deze pogingen?

Hij komt vermoeid thuis als van een lange tocht en weet niet wat hij met zich zelf moet beginnen. Hij doorsnuffelt oude brieven en herinneringen en leest ook zijn gedichten door, de laatste, de meest verstilde, die zelfs de heer Von Kranz niet kent. En dan vindt en herkent hij zich zelf weer terug, langzaam, de ene gelaatstrek na de andere, alsof hij lang weg is geweest. En in zijn eerste blijdschap schrijft hij een brief aan Thalmann en vloeit over van dankbaarheid: 'U hebt gelijk,' heet het daarin, 'want ik was een onoprecht en opgeschroefd iemand geworden. Nu zie ik alles en begrijp ik alles.

U hebt me gewekt uit een boze droom. Hoe kan ik u daarvoor danken?

Het enige dat ik kan doen is u deze Liederen, het meest kostbare en geheime dat ik bezit, te zenden...'

En vervolgens brengt Tragy brief en gedichten persoonlijk naar het adres, omdat de post hem plotseling te riskant lijkt. Het is al laat, en in de Giselastraat moet hij op de tast in het donker vier trappen naar het atelier oplopen waar Thalmann woont. In het belachelijk kleine hokje, dat haast niet meer is dan een lijst om het kolossale schuine dakraam op het noorden, treft hij hem al schrijvende aan. Hoog in het nachtelijke duister brandt een oude verbogen lamp, te zwak om er al de voorwerpen die hier rommelig door elkaar heen liggen bij te kunnen onderscheiden.

Thalmann houdt zijn gast de lamp voor het gezicht:

'Ach, bent u het?' En hij schuift hem zijn eigen stoel toe. 'Rookt u?'

'Nee, dank u.'

'Koffie kan ik niet meer voor u maken. Ik heb geen spiritus meer. Maar als u wilt kunt u meedrinken.' En hij zet een oude kom zonder oor tussen hen in.

Hij staat met gekruiste armen te roken, rustig toeziend, volmaakt ongeïnteresseerd.

Tragy aarzelt.

'Wilt u me iets zeggen?' Thalmann drinkt een slok koffie en veegt zijn mond af met de rug van zijn hand.

'Ik kom u iets brengen...' waagt Ewald.

De ander verroert zich niet: 'O ja? Legt u het daar maar neer. Ik zal het wel eens bekijken. Wat is het?'

'Een brief...' zegt Tragy weifelend, 'en... maar misschien zoudt u hem nu meteen willen lezen?'

Thalmann heeft de envelop al met één achteloze beweging opengescheurd. Hij klemt zijn sigaret tussen de tanden en leest vluchtig, met zijn ogen knipperend tegen de rook. Ewald is van opwinding opgestaan en wacht. Maar er verandert niets in het bleke gezicht van de donkere man, alleen de rook schijnt hem sterk te hinderen. Aan het eind gekomen knikt hij: 'Nou ja, enzovoort.' En tegen Tragy zegt hij: 'Ik wil u bij gelegenheid wel eens schrijven wat ik ervan vind, ik praat niet graag over dat soort zaken.' En hij drinkt de kom in één teug leeg.

Tragy valt terug op de stoel en zit daar maar en wil niet toegeven aan zijn tranen. Hij voelt op zijn voorhoofd de stormwind die zich uit de nacht plat naar binnen drukt door de reusachtige ruiten van het raam.

Zwijgen.

Dan vraagt Thalmann: 'U zit zo te bibberen, hebt u het koud?'

Ewald schudt van nee.

En weer: zwijgen.

Nu en dan kraken de ruiten als de wind ertegen

duwt, zacht, heimelijk, als kruiend ijs. En ten slotte zegt Tragy: 'Waarom behandelt u me op deze manier?' Hij ziet er buitengewoon ziek en triest uit.

Thalmann trekt driftig aan zijn sigaret: 'Behandelen? Noemt u dat behandelen? U bent té bescheiden. Ik laat u toch duidelijk genoeg merken dat ik in het geheel niet van plan ben u op welke manier dan ook te behandelen. Als u wilt dat ik me voor u openstel, hoe dan ook, moet u eerst eens al die woorden afleren, al die grote woorden; daar houd ik niet van.'

'Maar wat bent u dan voor iemand?' roept Tragy uit en springt op de donkere man af alsof hij hem in het gezicht wil slaan. Hij trilt van woede. 'Waar haalt u het recht vandaan alles van mij te vertrappen?'

Maar daar wrikken de tranen al aan zijn stem en overweldigen zijn stem en maken Tragy blind en zwak, maken zijn vuisten slap.

De ander duwt hem met zachte hand op de stoel terug en wacht. Na een poosje kijkt hij op de klok en zegt: 'Houdt u daar nu mee op. U moet naar huis en ik moet schrijven; het is twaalf uur. U vraagt wat ik voor iemand ben: een werker ben ik, ziet u wel, iemand met kapotte handen, een indringer, iemand die de schoonheid liefheeft en daar veel te arm voor is. Iemand die moet voelen dat men hem haat om er zeker van te zijn dat men geen medelijden met hem heeft... Nonsens trouwens.'

En Tragy slaat zijn ogen op, die heet en droog aanvoelen, en staart in de lamp. Straks zal hij uitdoven, denkt hij en staat op en gaat weg.

Thalmann licht hem bij als hij de nauwe trap af gaat. En Tragy heeft de indruk dat er geen eind aan de trap komt.

Tragy is ziek. Daardoor kan hij niet naar een andere kamer verhuizen en houdt tot de eerste januari zijn kamer in de Finkenstrasse aan. Hij ligt op de ongemakkelijke sofa en denkt aan die tuin met de verre vale grasvelden en de berken die stil en onopvallend de heuvels bestijgen. Waarheen? Naar de hemel. En plotseling vindt hij het idee ongehoord koddig dat er behalve in de hemel nog ergens anders een berk, een jonge slanke berk voor zou kunnen komen. Nee, er zijn vast en zeker alleen in de hemel berken, geen twijfel aan. Wat zouden die hier beneden moeten? Stel je maar eens berken voor tussen al die dikke bruine boomstammen – dan kunnen er net zo goed sterren aan het plafond staan. Maar plotseling vraagt hij: 'Wat pluk je, Jeanne?' 'Sterren.' Hij denkt een ogenblik na en zegt dan: 'Dat is goed, Jeanne, dat is heel goed.' En hij voelt een welbehagen in zijn hele lichaam, tot een hevige pijn in de lendenen het verstoort. Ik heb me te veel vermoeid, ik heb immers de hele ochtend bloemen geplukt. Hoe kan je dat nu ook doen? Ochtend? Laat me niet lachen: twee dagen, veertien dagen, o, altijd al. Maar daar komt Jeanne aangelopen door de laan, door de lange populierenlaan. Ten slotte is ze vlakbij. Papaver! zegt Ewald ontgoocheld. Papaver! Wie zal papaver halen? Een stormvlaag, en alles is weg. Ik zal ze wel eens laten zien. En daarna, wat dan? Ja, wat dan?

Opeens richt Tragy zich op de sofa op, heeft een duister gevoel over een tuin en probeert zich te herinneren: wanneer was dat toch? Gisteren? En hij pijnigt zijn hersens: een jaar geleden? En geleidelijk komt hij tot de ontdekking dat het een droom was, enkel maar een droom, dus hoegenaamd niets. Dat stelt hem niet gerust. 'Wanneer bestaan dromen?' vraagt hij zich hardop af. En hij vertelt de heer Von Kranz, die hem tegen het vallen van de avond komt opzoeken: 'Het leven is zo veelomvattend en toch zijn er maar zo weinig dingen in het leven, op den duur is er maar één ding. Het steeds maar overbruggen van die afstand is vermoeiend en beangstigend. Als kind was ik eens in Italië. Ik weet er niet veel van. Maar als je daar door het land loopt en aan een boer vraagt: 'Hoe ver is het naar het dorp?' zegt hij 'Un' mezz' ora'. En de volgende zegt hetzelfde en de derde ook, alsof ze het met elkaar afgesproken hebben. En je loopt de hele dag en bent nog steeds niet bij het dorp. Zo is het in het leven. Maar in de droom zijn alle dingen heel dichtbij en ben je volstrekt niet bang. We zijn eigenlijk voor de droom geschapen, we missen de organen voor het leven te enen male, we zijn net vissen die met alle geweld willen vliegen. Wat kan je eraan verhelpen?'

De heer Von Kranz begrijpt het volkomen en is het met hem eens: 'Prachtig,' lacht hij, 'werkelijk prachtig. Dat moet u in verzen uitdrukken, het is de moeite waard. U bént het, ten voeten uit.' Daarna stapt hij vlug op; hij voelt zich niet op zijn gemak bij zulke gesprekken en komt steeds onregelmatiger. Tragy is hem daar dankbaar om. Hij leeft nu helemaal in zijn dromen en wordt niet graag gestoord; want dan moet hij het treurige grijze daglicht onder ogen zien en de vreemde vochtige kamer waarin het maar niet warm wil worden, en hij is nu zo verwend met kleuren en feesten. Alleen de nachten zijn akelig en verschrikkelijk. Dan wordt hij overvallen door oeroude kwellingen die uit de vele koortsnachten van zijn kinderjaren dateren en hem afmatten: zijn ledematen rusten op een steenmassa en in zijn tastende handen boort zich grauw graniet, koud, hard, meedogenloos. Zijn zwakke, hete lichaam worstelt zich een weg door dit rotsblok en zijn voeten zijn wortels die de vorst opzuigen die langzaam door zijn verstenende aderen opstijgt... Of: dat met het raam. Een klein raam hoog boven de kachel. Hoog boven de kachel een klein raam. Oh, hoe je het ook zegt, niemand kan begrijpen hoe ontzettend dat raam is. Boven de kachel een raam, begrijp dat dan toch. Is het niet verschrikkelijk om te bedenken dat daar nog iets achter is? Een kamer? Een zaal? Een tuin? Wie zal het zeggen? – 'Als dát maar niet terugkomt, dokter.'

'We zijn nerveus,' glimlacht de dokter en is over het geheel genomen best tevreden. 'We mogen ons niet onnodig opwinden. U hebt een beetje koorts, die komen we heus wel te boven; en dan stevig eten.'

Ewald lacht de oude heer wazig toe. Hij voelt zich zo ziek, zo hartgrondig ziek, en ze passen daar zo wonderwel bij, deze troebele droomdagen, die zo zwaar tegen het raam geleund staan, en deze kamer waarin de schemering zich als oud stof aan de dingen hecht, en de tere verwelkte geur die hier onophoudelijk van de meubels en van de vloer opstijgt.

En soms luiden er ergens grote klokken, die hij vroeger nooit gehoord heeft, en dan vouwt hij zijn handen op zijn borst, sluit de ogen en droomt dat er aan zijn hoofdeinde als bloesems in deze plechtige droefheid kaarsen branden, zeven lange kaarsen met rustige, rode vlammen.

Maar de oude heer heeft gelijk: de koorts gaat over, en Tragy is van de ene dag op de andere zijn dromen kwijt. Frisse energie roert zich ongeduldig in zijn lichaam en jaagt hem het bed uit, bijna tegen zijn wil. Hij speelt nog een tijdje voor zieke, maar af en toe betrapt hij zich zelf op een glimlach, alleen maar omdat de winterdag bij toeval een ogenblik met zon wordt overgoten zodat hij aan alle kanten glinstert en schittert. En dat is een symptoom, dat glimlachen.

Hij mag nog niet de straat op en dus zit hij maar op zijn kamer te wachten. Hij kan zich nu overal vrolijk over maken; ieder geluid van buiten wordt als een minstreel binnengehaald en moet vertellen. En ook hoopt Tragy op een brief, wat voor brief dan ook. En dat de heer Von Kranz een keer voor de deur zal staan. Maar de dagen gaan voorbij. Buiten sneeuwt de wereld in en de geluiden gaan in het dikke sneeuwtapijt verloren. Geen brief, geen bezoek. En de avonden duren eindeloos. Tragy krijgt de indruk dat men hem vergeten is, en hij komt onwillekeurig in beweging, begint te roepen, levenstekens te geven. Hij schrijft:

naar huis, naar de heer Von Kranz, naar iedereen die hij toevallig kent, hij verzendt zelfs een paar uit het vaderland meegenomen aanbevelingsbrieven die hij nog niet gebruikt had, en rekent erop dat men die met uitnodigingen zal beantwoorden. Tevergeefs. Men blijft hem negeren. Hij kan roepen en tekens geven zoveel hij wil. Zijn stem bereikt niets of niemand.

En juist in deze dagen is zijn behoefte aan belangstelling zo groot; en die behoefte wordt steeds groter en is ten slotte als een hartstochtelijke, droge dorst, die hem niet nederig maar verbitterd en eigenzinnig maakt. Hij vraagt zich ineens af of hij datgene wat hij tevergeefs aan de hele wereld afsmeekt niet van één iemand zou kunnen opeisen als een recht, als een oude schuld die je met onverschillig welke middelen, onvermurwbaar int. En hij eist van zijn moeder: 'Kom en geef mij wat mij toekomt.'

Het wordt een lange, lange brief en Ewald schrijft tot diep in de nacht, steeds sneller en met steeds gloeiender wangen. Hij is begonnen van haar te eisen dat zij haar plichten nakomt en voordat hij het weet smeekt hij om genade, om een geschenk, om warmte en tederheid. 'Het is nog niet te laat,' schrijft hij, 'nog ben ik zwak en kan ik als was zijn in uw handen. Neem mij, geef mij een vorm, voltooi mij...'

Het is een schreeuw om moederlijkheid, die ver boven die ene vrouw uitwijst tot naar die eerste liefde, die de lente blij en zorgeloos maakt. Deze woorden zijn aan niemand meer gericht, met gespreide armen stormen ze op de zon af... En het is dan ook niet verwonderlijk dat Tragy als hij zijn brief af heeft inziet dat er niemand is aan wie hij hem zou kunnen versturen, en dat niemand hem zou begrijpen, en die slanke nerveuze dame wel in de laatste plaats. Ze gaat er immers prat op dat ze haar 'freule' noemen in het buitenland, denkt Ewald, en weet: we moeten deze brief snel verbranden.

Hij wacht.

Maar de brief verbrandt heel langzaam, in een vuur
van alleen maar kleine, bevende vlammen.

(1898)

In het leven

De revisor zit over het bureau gebogen als een gasarm met een matglazen bol aan het uiteinde.

Hij is hard aan het werk en het valt niet mee om hard aan het werk te zijn als je zo'n overbuurman hebt als hij.

Gelukkig hebben de bureaus een opstaande rand, waar je achter kunt wegduiken als achter een borstwering.

De revisor heeft zijn kale hoofdbol tot vlak boven zijn cijfers geschroefd, zodat de woorden van de klerk eroverheen vliegen en in de koninklijke staats-wandkaart 'Het spoorwegnet van Europa' slaan.

Men ziet, deze jongeman, die voor het laatst op kantoor is, heeft ieder respect voor staatseigendommen verloren. Hij veroorlooft zich alles. Nu zegt hij bij voorbeeld:

'Werkelijk, meneer Kniemann, je kunt nog beter straatveger zijn... of... wat dan ook, dan hier langzaam geplet te worden en onder het stof te komen zitten. Kijkt u nu eens naar die muren hier... rechts, links; het is alsof je hier in een oud boek zit; de vergeten bladwijzer van je geachte voorganger, op de plaats waar die in slaap viel.'

'17850,' zegt revisor Kniemann en wijkt uit voor de reusachtige bladzijde van het hypotheekregister die hem bij het omslaan als een zeil voorbij vaart.

'U zult zeggen dat je niet altijd klerk hoeft te blijven,' interpreteert de ander deze beweging, 'je wordt revisor, chef de bureau, misschien zelfs inspecteur, met andere woorden je verhuist van een oud lor naar een prachtband verguld op snee, bij voorbeeld van *De moordenaar in de kolenkist* naar het *Buch der Lieder*. Maar ik zeg u: je blijft een bladwijzer met hoogstens het opschrift "Vergeet mij niet" als er promoties in de

lucht hangen. Mij niet gezien. Daarvoor ben ik te...
te creatief. Ik zoek de ruimte.'

'Ja,' zucht de revisor zonder te luisteren en begint
de kolom nogmaals van onderaf op te tellen. Hij heeft
zich verrekend.

'Dáár heb je de ochtend, de middag en de avond,'
zegt de jongeman geestdriftig. 'Hebt u dat hier soms
ook? Van acht tot drie, dat heb je hier; wat is dat nou
helemaal? En wat blijft er van zo'n dag over? Een af-
geprijsd overschot van een paar meter uit de uitver-
koop. Het is overal te kort voor, je kan er niet eens een
vest van laten maken. – Maar daar: daar is licht en
lucht, kleur en vrijheid, ja...'

'Waar?' vraagt de revisor argwanend en telt verder.

'In het leven,' snoeft de ander.

'Jongmens,' zegt de heer Kniemann geërgerd en telt
verder.

Maar de klerk kan het dromen niet laten. Vandaag
is hij dichter, zij het maar een eendagsdichter: senti-
menteel en ietwat ouderwets, zonder de schaamte of
de eenvoud van de echte poëten; maar hij raakt in ver-
voering van zich zelf. Hij is als een kaars waarmee
iemand een liefdesbrief verbrandt en hij droomt: 'Die
tuinen in de lente – het heeft iets ontroerends. Ik bedoel de kleine binnentuinen waar de keukenramen in
rijen boven elkaar op uitkijken. Overal wordt gezongen, in de bomen en achter alle ramen en op de mark-
ten en langs alle straten wordt gezongen.

Hebt u hier ooit horen zingen, meneer de revisor?
Nee, zeg ik, dat hebt u niet. ...En dan heb je de plei-
nen: daar staan stijve, plechtige standbeelden en daar
staan allemaal mensen omheen die de grote mannen
met verheven gevoelens gedenken. *U* hebt nooit voor
deze onsterfelijken gestaan, ú hebt geen tijd voor verheven gevoelens.'

Hier kijkt de klerk op. Over het voorovergebogen
voorhoofd van de oude man kruipt een vette vlieg. De
schedel laat zich dat rustig welgevallen en de over-

buurman denkt: wat een dooie is het toch, en wordt er helemaal zenuwachtig van. Ten slotte kan hij het niet langer aanzien: 'Verjaagt u in hemelsnaam tenminste die vlieg van uw voorhoofd! Doet u me dat plezier!'

De heer Kniemann maakt een mechanische beweging met zijn dorre, gele hand en cijfert: '12473.'

De ander herstelt zich weer.

Hij geeft een stralende glimlach weg: 'En er zijn daar straten, straten...' Hij wacht even. 'Je moet ze alleen weten te vinden. Ieder ogenblik zweeft er een meisje voorbij, blond en licht, en lacht je toe alsof ze je heel goed kent. En achter de ramen zitten ze op de uitkijk, stampen ongeduldig met hun voetjes en wachten... op het geluk. Dan rek je je uit en je denkt: "Ik ben het geluk" en... dan ben je het ook. Geen kunst aan! Ik zeg u, beste Kniemann, je moet willen, dat is alles. Geeft u u zelf morgenochtend bij het opstaan maar eens het bevel: ik ben de keizer van Europa. U zult zien: u bent het.'

'Wááát?' krast de revisor en waagt het een klein stukje boven de borstwering uit te komen. De ander lacht vriendelijk naar het bangelijke, gerimpelde vogelgezicht en snoeft bedaard: 'Ja, zo is het daar.'

De oude ambtenaar zakt weer in zijn folianten weg, maar informeert toch na enige tijd verontrust: 'Waar?'

'Waar?' zegt de klerk, 'Nou, in het leven...'

De heer Kniemann denkt: jíj hoeft míj niets wijs te maken; want hij is een man van ervaring. Hij heeft pokken gehad en roodvonk, en geconfirmeerd is hij ook geworden. Dus. Zijn hautaine lachje is als een klein vlammetje aan het uiteinde van de gasarm, ergens midden in zijn hoofd. En pas nu er iets doorheen wil schemeren kan men zien hoe stoffig deze matglazen bol is.

Het jonge heerschap aan de overkant laat zich niet uit het veld slaan. Vandaag publiceert hij zijn verzamelde werken. Dus herneemt hij: 'Denkt u eens aan een zomerdag. Lijkt die niet onuitputtelijk? En dat is nog niets, want de zomer is lang. En geen enkele zomerdag is eender, elke dag is een wonder op zich zelf. Daarginds zijn trouwens alléén maar wonderen, en die zijn er allemaal voor ons. Dat wij er niet naar omkijken kan niemand helpen. Wij zitten hier en doen degelijker dingen. Wij schrijven getallen en cijfers in boeken. Wij schrijven "Kolentransport in de maand december" en buiten is het leven. Wij schrijven "Goederenwagon no. 7815" en daarginds is het geluk.

Ik ga in de landbouw, als een eenvoudig boertje voor mijn part. Een mens moet namelijk iets doen dat door Onze Lieve Heer gezien wordt. Of dacht u dat die hier door deze muffe lichtkoker naar binnen kon kijken? Zeker om z'n humeur voor de volgende tien zon- en feestdagen te laten bederven!

En u moet ook niet vergeten, alles is daarginds in beweging, op en neer, heen en weer... als een dans. Er is daar niemand met slapende benen of een bekneld gevoel in de hartstreek. Ze zeggen dat we een "zittend leven" leiden, ten onrechte, want het is zelfmoord en dus op zijn hoogst een zittende dood. En ik heb nog lang geen zin om dood te gaan. Ik ben van plan om eerst nog een paar sigaretten te roken in goed gezelschap. Want dáár mag je alles, in tegenstelling tot hier, inclusief roken.'

Het hoofd van de revisor is tijdens deze redevoering langzaam boven water gekomen en ligt nu met vooruitgeschoven onderkaak op een map 'Akten letter B', als een smakeloze presse-papier. Hij knikt aandachtig: 'In het leven?'

'In het leven,' beaamt de jongeman ernstig en zijn wangen gloeien. 'Ik moet wel toegeven, het kost tijd voor je de deur gevonden hebt, in het leven weet je niet meteen de weg. En het betekent ook gevaar. Het is nu eenmaal bergtop én afgrond, eiland én golf – alles tegelijk. Alles. Voelt u wat dat zeggen wil? Dat wil zeggen: Kerstmis, pakjesavond... o, je komt handen te kort om alle geschenken vast te houden, je komt ogen te kort om ze te bewonderen... ja, je bent arm van rijkdom.'

'In het leven.' Dit keer zonder vraagteken. En de schrale stem van de oude man bootst onbewust de jubelende klank in die van de ander na. De revisor staat er zelf perplex van hoe dat klinkt, en probeert het voorzichtig nog eens, als iemand die een taal leert: 'In het leven.'

En zijn overbuurman zegt vrijwel tegelijk: 'In het leven.'

Door de samenklank krijgen de woorden de kracht van een eed of een gebed.

De jongeman voelt het plechtige ervan en is opeens stil; het is hem alsof hij diep in een bos is. Hij denkt aan zijn moeder en ziet haar voor zich zoals ze er zondags uitziet: zij draagt haar lila mutsje en heeft van de preek een wat behuild gezicht overgehouden, maar toch glimlacht ze...

Hij heeft nu ondanks zijn blonde snor een kindergezicht en ziet er zo trouwhartig uit, dat hij de revisor overtuigt: nee, die liegt niet.

De revisor wacht of er nog iets komt. Maar als de klerk blijft zwijgen gaat hij voorzichtig recht zitten, sluit het boek en staart lang naar het grote vuilwitte vloeiblad, dat als onderlegger dienst doet.

Drie grote oude inktvlekken houden zijn blik gevangen.

Eindelijk rukt hij zich los en wendt het hoofd om een of andere reden naar het raam, waardoor niets te zien valt dan een grijze muur en in de hoogte een streep zonlicht.

De heer Kniemann peinst: 'Zo zo, dat heeft met het leven dus helemaal niets te maken.'

En dan klimmen er langs de tegenoverliggende grijze muur van de luchtkoker drie oranje manen omhoog.

Het zijn zonderlinge hemellichamen die als zwarte

inktvlekken op de stoffige map ondergaan en van-
daar steeds weer oranjerood opstijgen.

De revisor wordt plotseling bang: 'Drie rode manen, wat is dat voor wereld?' ...Een treurige wereld,
mijnheer de revisor.

En even later staat hij op en roept zo hard om de
bediende dat de klerk ervan schrikt. Hij schreeuwt
zo hard hij kan: 'Knizek!'

Dit moet wel om iets heel dringends gaan.

'Knizek!'

...

'Ik moet een nieuw vloeiblad in mijn onderlegger!'

(1898/99)

Wladimir de wolkenschilder

Ze zitten weer eens volkomen in de put, ze voelen zich overbodig, afvallig, bedrogen in alle opzichten. Elk verachten ze zich zelf en breiden hun verachting daarna uit naar boven en naar beneden.

Dit gevoel geeft de baron de uitspraak in: 'Naar dit café kunnen we ook al niet meer. Je hebt hier niets, geen kranten, geen bediening, niets.'

De twee anderen zijn het volkomen met hem eens.

En zo blijven ze om de kleine marmeren tafel zitten, die niet weet wat deze drie mensen van hem willen. Rust willen ze, alleen maar rust. De dichter geeft even helder als onomatopoëtisch aan dit verlangen uitdrukking. 'Quatsch,' zegt hij na een half uur.

En wederom zijn de anderen dezelfde mening toegedaan.

Ze blijven wachten, god weet waarop.

Het ene been van de schilder begint te schommelen. Hij blijft er een poos diepzinnig naar kijken. Dan heeft hij de beweging doorgrond en begint langzaam en gevoelvol te zingen:

> 'Saaiheid, gruwelijke saaiheid,
> jij, mijn lust en mijn leven...'

Maar dan is het de hoogste tijd geworden om op te breken. Achter elkaar gaan ze naar buiten, met opgeslagen kraag. Want het weer is al net zo beroerd. Om te huilen.

Wat zullen ze nu eens gaan doen? Er blijft hen maar één ding over: tussen vijf en zes naar Wladimir Lubowski, als het schemert. Natuurlijk. Vooruit dus: Parkstraat 17. Ateliergebouw.

Wladimir Lubowski kan men alleen via zijn werk benaderen. Want al zijn schilderijen rookt hij. Een fantastische walm vult het hele atelier. Je mag van geluk spreken als je door deze voorhistorische nevel de kortste weg vindt naar de oude versleten divan waar Wladimir op woont... dag in, dag uit.

Vanzelfsprekend ook vandaag. Hij staat niet op en wacht de drie 'bedrogenen' rustig af. Dezen gaan om hem heen zitten, ieder naar eigen aard en aanleg. Ze hebben ergens groene chartreuse en sigaretten opgescharreld. Natuurlijk maken ze die zonder omhaal soldaat, met het gezicht van mensen die zich altijd maar opofferen. De sigaretten smaken zelfs naar meer: ach ja, wat getroost een mens zich al niet voor dit ellendige bestaan.

De dichter leunt in zijn stoel naar achteren: 'Of is het leven soms géén knoeiboel, iets voor dilettanten – nou?'

Wladimir Lubowski antwoordt niet.

De anderen wachten met alle plezier. Het is verrukkelijk hier in dit geurige duister. Je hoeft alleen maar stil te blijven zitten, dan voert het je weg en begint je te wiegen.

'Hoe speel je dat toch klaar, Lubowski, het ruikt hier helemaal niet naar terpentijn...' merkt de schilder langs zijn neus weg op en de baron vult aan: 'Integendeel zelfs. Hebt u hier ergens bloemen staan?'

Stilte. Wladimir verschuilt zich achter zijn wolken.

Maar het drietal is geduldig. Ze hebben tijd en chartreuse genoeg.

Ze kennen dit: rustig afwachten, straks komt het wel.

En dan komt het. Rook, rook en nog eens rook en daarna lieve, langzame woorden, die door de wereld trekken en de dingen uit de verte bewonderen. Door de wolken worden ze hoog opgetild. Allemaal geheimzinnige hemelvaarten.

Bij voorbeeld: rookwolk. 'Dus: de mensen kijken altijd de verkeerde kant op als ze God willen zien. Ze zoeken hem in het licht, dat steeds kouder en scherper wordt, boven ons.' Rookwolk. 'En God wacht ergens anders... wacht... helemaal op de bodem van alles. In de diepte. Waar de wortels zijn. Waar het warm is en donker...' Rookwolk.

En de dichter begint ineens te ijsberen.

Alle drie denken zij aan de God die ergens achter de dingen woont... ergens op een wonderbaarlijke plek...

En later: 'Bang... zijn?' Rookwolk. 'Waarvoor?' Rookwolk.

'Je bent toch altijd boven hém? Als een vrucht, waar iemand een mooie schaal onder houdt. Een gouden vrucht... stralend in het gebladerte. En als ze rijp is laat ze los...'

Dan verscheurt de schilder plotseling met een wilde beweging de rookwolk: 'Lieve héémel' zegt hij en ziet op de divan een kleine bleke man zitten met grote, opvallende ogen. Ogen waarin ondanks al hun glans een eeuwige droefheid ligt... vrouwelijk blijde ogen. En erg koude handen.

En de schilder staat onbeholpen voor hem. Hij is vergeten wat hij eigenlijk van plan was.

Gelukkig komt de baron erbij staan: 'Dat moet u schilderen, Lubowski.' Wát, dat weet de baron ook niet precies. Hij herhaalt toch maar voor alle zekerheid: 'Werkelijk, Lubowski.' En dat klinkt bijna een beetje vaderlijk beschermend, zonder dat hij het zo bedoelt. Wladimir heeft ondertussen een lange weg afgelegd: na zijn schrik moest hij door een donkere verbazing heen. Eindelijk arriveert hij bij een lachje en mijmert zacht: 'O ja, morgen.' Rookwolk.

Dan vinden ze het atelier ineens te klein voor hun drieën. Ze zitten elkaar in de weg. Ze gaan er vandoor: 'Tot ziens, Lubowski.'

Al bij de eerste straathoek geven ze elkaar een overdreven stevige hand. Ze hebben haast om van elkaar af te komen.

Ze gaan ver uiteen.

Een klein, behaaglijk café. Er zit geen mens, de lampen suizen. De dichter is er begonnen verzen te schrijven op de envelop van een brief die hij gekregen heeft. En hij gaat steeds sneller en kleiner schrijven; want hij voelt dat er veel, heel veel in aantocht zijn.

En in het atelier van de schilder, vijf hoog, worden voorbereidingen getroffen voor morgen. Met een lied heeft hij het stof van de ezel gefloten, het stof dat daar al zo lang lag. Er staat een nieuw doek op de ezel, wit als een voorhoofd. Het liefst zou je er een krans om willen hangen.

Alleen de baron is nog onderweg. 'Half elf zijdeur Olympiatheater!' heeft hij een koetsier vertrouwelijk toegevoegd en is zonder zich te haasten doorgelopen. Hij heeft immers nog een zee van tijd om uit te rusten en toilet te maken. Niemand denkt aan Wladimir Lubowski.

Wladimir heeft zijn deur op slot gedaan en wacht tot het volkomen donker is. Dan zit hij klein op de rand van de divan en huilt in zijn witte, ijskoude handen. Het komt licht en zacht, zonder dat hij zich ervoor inspant of zich aanstelt. Het is het enige dat hij nog niet verraden heeft, het enige dat alleen van hem is. Zijn eenzaamheid.

(1899)

De gymnastiekles

De militaire school in Sankt Severin. Gymnastieklo-
kaal. De in lichte grofkatoenen hemden geklede lichting staat in twee rijen opgesteld onder de grote gas-
kronen. De gymnastiekleraar, een jonge officier met
een hard, gebruind gezicht en honende ogen heeft
vrije oefeningen verordineerd en verdeelt nu de ploegen. 'Eerste ploeg rekstok, tweede ploeg brug, derde
ploeg bok, vierde ploeg klimpaal! Ingerukt!' En snel
verspreiden de jongens zich, op lichte, met vioolhars
geïsoleerde schoenen. Enkelen blijven midden in het
lokaal staan, in dubio, als het ware verontwaardigd.
Het is de vierde ploeg, die van de slechte gymnasten,
die de oefeningen aan de toestellen niet leuk vinden
en al moe zijn van de twintig kniebuigingen en een
beetje duizelig en buiten adem.

Alleen Karl Gruber, die anders in zulke gevallen
altijd de allerlaatste is, staat al bij de klimpalen, die in
een wat donkerder hoek van het lokaal aangebracht
zijn, vlak bij de nissen waarin hun uniform-rokken
hangen. Hij heeft de eerste de beste paal gegrepen en
trekt hem met uitzonderlijke kracht naar voren zodat
de paal zelfstandig naar de voor de oefening bestem-
de plaats wankelt. Gruber laat hem niet eens los, hij
springt en blijft tamelijk hoog aan de paal hangen,
met de benen onwillekeurig op de klautermanier om
de paal geklemd, iets dat hij andere keren nooit begreep. Zo wacht hij op de ploeg en slaat – zo te zien –
bovenmatig geamuseerd de verbaasde woede van de
kleine Poolse onderofficier gade, die roept dat hij
eraf moet springen. Maar Gruber is dit keer zowaar
ongehoorzaam en Jastersky, de blonde onderofficier,
schreeuwt ten slotte: 'Ook goed, óf u komt naar beneden óf u klimt naar boven, Gruber! Anders meld ik
het de overste...' En daarop begint Gruber te klaute-

106

ren, eerst met verwoede haast, de benen maar een klein stukje optrekkend en de blik naar boven gericht, met enige angst de onmetelijke afstand taxerend die hij nog voor de boeg heeft. Dan worden zijn bewegingen langzamer: en alsof hij van iedere greep geniet als van iets nieuws en aangenaams, trekt hij zich tot ongewoon grote hoogte op. Hij let niet op de opwinding van de toch al geïrriteerde onderofficier, klimt maar door, de blik almaar naar boven gericht, alsof hij een uitweg in de zoldering van het lokaal heeft ontdekt waar hij bij probeert te komen. De hele ploeg kijkt toe. En ook in de andere ploegen volgen sommigen de bewegingen van de klauteraar, die anders ternauwernood tot eenderde van de paal kwam, hijgend, rood aangelopen en met een boos gezicht. 'Bravo Gruber!' roept iemand uit de eerste ploeg. Velen kijken naar boven en even wordt het stil in het lokaal, ...maar juist op dit moment, nu aller blikken aan de gestalte van Gruber haken, maakt hij in de hoogte onder het plafond een beweging alsof hij ze van zich af wil schudden; en omdat dit hem blijkbaar niet lukt bindt hij al die blikken aan de kale ijzeren haak boven zijn hoofd en roetsjt langs de gladde paal naar beneden, zodat iedereen nog naar boven kijkt als hij al lang duizelig en verhit beneden staat en met opvallend doffe ogen zijn brandende handpalmen bekijkt. Dan vraagt een van de kameraden die het dichtst bij hem in de buurt staan welke geest er vandaag in hem gevaren is. 'Wil je soms in de eerste ploeg komen?' Gruber lacht en schijnt iets te willen antwoorden, maar hij bedenkt zich en slaat vlug de ogen neer. En vervolgens, als het gedruis en geroezemoes weer begint, trekt hij zich onopvallend in de nis terug, gaat zitten, kijkt angstig om zich heen en haalt adem, twee keer snel achter elkaar, en wil iets zeggen... maar er is al niemand meer die op hem let. Alleen Jerome, die ook in de vierde ploeg zit, ziet dat hij opnieuw zijn handen bekijkt, diep gebogen als iemand die bij karig licht een brief probeert te ontcijferen. En hij gaat na een poosje naar hem toe en vraagt: 'Heb je je bezeerd?' Gruber schrikt op. 'Wat?' brengt hij uit met zijn ordinaire, in speeksel zwemmende stem. 'Laat eens kijken!' Jerome neemt een van Grubers handen en houdt hem in het licht. Hij is op de bal een beetje geschaafd. 'Weet je, daar heb ik iets voor,' zegt Jerome, die van thuis altijd Engelse pleisters krijgt toegestuurd, 'kom dan straks bij me.' Maar Gruber lijkt niets gehoord te hebben; hij kijkt recht het lokaal in alsof hij iets onbepaalds ziet, misschien niet in het lokaal maar erbuiten, achter de ramen, hoewel het donker is, laat in de middag en herfst.

Op hetzelfde ogenblik schreeuwt de onderofficier op zijn opvliegende manier: 'Gruber!' Gruber reageert niet, enkel zijn voeten die hij voor zich heeft uitgestrekt glijden stijf en onhandig een beetje heen en weer over het gladde parket. 'Gruber!' brult de onderofficier met overslaande stem. Daarna wacht hij even en zegt gejaagd en schor, zonder de geroepene aan te kijken: 'U meldt zich na de les. Ik zal u wel...' En de les gaat verder. 'Gruber,' zegt Jerome en buigt zich over zijn kameraad heen, die in de nis steeds dieper onderuit zakt, 'je bent aan de beurt met touwklimmen, ga, probeer het, anders krijg je van Jastersky de wind van voren, weet je...' Gruber knikt. Maar in plaats van op te staan sluit hij plotseling de ogen en glijdt onder de woorden van Jerome door alsof hij door een golf gedragen wordt, glijdt langzaam en zonder een kik te geven dieper, dieper weg, glijdt van de bank af, en Jerome beseft pas wat er gebeurt als hij hoort hoe Grubers hoofd hard tegen het hout van de bank bonkt en dan naar voren valt... 'Gruber!' roept hij schor. Eerst merkt niemand er iets van. En Jerome staat er radeloos bij zonder iets te doen en roept: 'Gruber, Gruber!' Hij komt niet op het idee de ander op te rapen. Dan krijgt hij een duw, iemand zegt 'Sul' tegen hem, een ander duwt hem weg en hij ziet hoe zij het roerloze lichaam optillen. Ze dragen hem langs, ergens heen, waarschijnlijk naar het kamertje ernaast. De overste komt toegesneld. Hij geeft met ruwe, harde stem uiterst korte bevelen. Zijn commando snijdt het geroezemoes van de grote groep kletsende knapen scherp af. Stilte. Men ziet nog maar hier en daar een beweging, iemand die uitzwaait aan een toestel of er zacht vanaf springt, een verlate lach van iemand die niet weet wat er aan de hand is. Dan haastige vragen: 'Wat? Wat? Wie? Gruber? Waar?' En steeds méér vragen. Dan zegt iemand hardop: 'Flauwgevallen.' En commandant Jastersky loopt met een rood hoofd achter de overste aan en schreeuwt met zijn kwaadaardige stem, bevend van woede: 'Een simulant, overste, een simulant!' De overste let niet op hem. Hij kijkt recht voor zich uit, plukt aan zijn knevel, waardoor de harde kin nog hoekiger en energieker naar voren treedt, en geeft van tijd tot tijd een summiere aanwijzing. Vier leerlingen die Gruber dragen en de overste verdwijnen in de kamer. Dadelijk daarop komen de vier leerlingen terug. Een knecht loopt door het lokaal. De vier worden met grote ogen aangekeken en met vragen bestormd: 'Hoe ziet hij eruit? Wat is er met hem aan de hand? Is hij al bijgekomen?' Geen van hen weet eigenlijk wat er aan de hand is. En dan roept de overste ook al naar binnen dat de gymnastiekles verder kan gaan en geeft sergeant-majoor Goldstein het commando over. Dus gaan ze verder met de oefeningen, aan de brug, aan de rekstok, en de kleine dikke jongens van de derde ploeg kruipen wijdbeens over de hoge bok. Maar toch zijn alle bewegingen anders dan zoëven; alsof ze onder de ban van het luisteren zijn gekomen. Het zwaaien aan de rekstok breekt men abrupt af en aan de brug worden alleen maar kleine oefeningetjes gedaan. De stemmen zijn minder rommelig geworden en het gegons is ijler, alsof iedereen voortdurend één enkel woord herhaalt: 'Ss, ss, ss...' De kleine sluwe Krix luistert intussen aan de deur van het kamertje. De onderofficier van de tweede ploeg jaagt hem daar weg met een harde klap op zijn achterwerk. Krix springt van de deur weg, katachtig, met valse, listig flitsende ogen. Hij weet genoeg. En na een poosje, als niemand op hem let, geeft hij Pawlowitsch de boodschap: 'De regimentsarts is gekomen.' Welnu, op Pawlowitsch kan je rekenen; met al zijn brutaliteit loopt hij, alsof iemand hem een bevel heeft gegeven, dwars door het lokaal van ploeg naar ploeg en zegt vrij luid: 'De regimentsarts is daarbinnen.' En het lijkt wel alsof ook de onderofficieren zich voor dit bericht interesseren. Steeds vaker worden de blikken naar de deur gewend, steeds langzamer worden de oefeningen uitgevoerd; en een kleine jongen met zwarte ogen is in gehurkte houding bovenop de bok blijven zitten en staart met open mond naar het kamertje. Het is alsof er iets verlammends in de lucht hangt. De sterksten van de eerste ploeg spannen zich nog wel voor een paar oefeningen in, maken er een begin mee, zwaaien aan de rekstok rondjes met hun benen; en Pombert, de sterke Tiroler, buigt zijn arm en bekijkt zijn spieren, die dik en gespannen door de tijk heen schemeren. Ja, de kleine bijdehante Baum maakt zelfs nog een paar armzwaaien... en plotseling is deze wilde beweging de enige in het hele lokaal, een grote flikkerende cirkel, die iets onheilspellends heeft te midden van de algemene rust. En met een ruk komt de kleine man tot stilstand, laat zich bepaald gekrenkt op zijn knieën vallen en trekt een gezicht alsof hij iedereen veracht. Maar ook de doffe blik in zíjn kleine oogjes blijft ten slotte aan de deur van het kamertje haken.

Nu hoort men het zingen van de gasvlammen en het tikken van de wandklok. En dan klinkt het zachte ratelen van de klok, die het hele uur slaat. Zijn toon is eigenaardig vandaag; hij houdt bovendien heel abrupt op, onderbreekt zich zelf midden in zijn betoog.

Maar sergeant-majoor Goldstein kent zijn plicht. Hij roept: 'Aantreden!' Geen mens hoort hem. Niemand kan zich herinneren wat die term ook al weer betekende, ...vroeger. Wanneer vroeger? 'Aantreden!' krast de sergeant-majoor woedend en dadelijk daarop schreeuwen ook de andere onderofficieren: 'Aantreden!' En menige leerling herhaalt als bij zich zelf, alsof hij slaapt: 'Aantreden! Aantreden!' Maar eigenlijk weet iedereen dat ze nog ergens op moeten wachten. En daar gaat de deur van het kamertje ook al open; enige tijd gebeurt er niets; dan komt overste Wehl naar buiten en zijn ogen zijn groot en kwaad en zijn stappen bars. Hij marcheert als bij een defilé en zegt met schorre stem: 'Aantreden!' Met onbeschrijfelijke snelheid staat iedereen in het gelid. Alsof er een generaal voor hen staat. En dan het commando: 'Luister!' Een korte stilte, en vervolgens, droog en hard: 'Uw kameraad Gruber is zo juist gestorven! Hartaanval. Ingerukt mars!' Stilte. En pas na een poos de stem van de leerling die de dienst heeft, dun en zwak: 'Linksom! Marcheren: compagnie, mars!' In ongelijke pas en zonder zich te haasten gaat de lichting naar de deur. Jerome als hekkesluiter. Niemand kijkt om. Uit de gang komt de lucht de jongens koud en bedompt tegemoet. Iemand beweert dat het er naar carbol ruikt. Pombert maakt voor iedereen verstaanbaar een platte grap over de stank. Niemand lacht. Jerome voelt zich plotseling bij de arm gegrepen worden, besprongen bijna. Krix hangt aan zijn arm. Zijn ogen schitteren en zijn tanden fonkelen, alsof hij wil bijten. 'Ik heb hem gezien,' fluistert hij en beknelt Jeromes arm en in zijn binnenste zit een lach die hem heen en weer doet schudden. Hij kan bijna niet meer van het lachen: 'Helemaal naakt is hij en broodmager en heel erg lang. En aan zijn voetzolen is hij verzegeld...' En dan giechelt hij, schril en kietelend, hij giechelt en bijt zich in Jerome's mouw vast.

(1899)

De kardinaal

Een biografie

Hij is de zoon van de mooie hertogin van Ascoli. Zijn vader was een of andere avonturier, hij noemde zich destijds markies Pemba. Maar de hertogin houdt speciaal van *deze* zoon. Hij herinnert haar aan een tuin, aan Venetië en aan een dag toen ze mooier was dan anders. Daarom wil ze dat deze zoon een goed leven krijgt en een naam: marchese van Villavenetia. De marchese van Villavenetia. De marchese is een slechte leerling. Hij is verzot op het africhten van valken. Zijn leraar zegt op een dag tegen hem (en de leraar heeft weinig verstand van de jacht): 'Wat doe je als de valk eens niet terugkomt?' 'Dan, dan...' zegt de leerling hevig opgewonden, 'dan krijg ik zelf vleugels.'

En hij wordt helemaal rood alsof hij zich versproken heeft. Later, als hij ongeveer vijftien is, is hij een tijd lang zwijgzaam en vlijtig. Hij is verliefd op de mooie hertogin Julia von Este. Een jaar lang bemint hij haar... en dan gaat hij naar een blonde maagd bij wie hij bevrediging vindt... en is zijn liefde vergeten. Nu breken drukke, stormachtige dagen aan. Zijn degen geniet zelden nachtrust. Hij gaat naar Venetië en moet aan een tuin denken. Een jaar lang zoekt hij deze tuin, dan vindt hij Valenzia. Zij is groot, trots en van goud. Hij kan zich haar niet met anderen samen voorstellen. Hij maakt zich geen enkele voorstelling van haar, hij kust haar. Maar zij heeft een minnaar. Men zegt zelfs dat zij een echtgenoot heeft, maar de minnaar is gevaarlijker. De marchese kent hem al lang. Sinds een eeuw zijn er overal afbeeldingen van hem. Ze hangen in de donkerste zalen, gewoonlijk boven een deur, opdat de kinderen ze niet zien. Ze hebben het boze oog. En de marchese voelt zich daardoor achtervolgd. Hij ziet het in ieder wijnglas weerspiegeld: dit donkere, geheimzinnige, gedrongen voorhoofd, door de rechte zwarte wenkbrauwen onderstreept. Hij wordt schrikachtig. Bij talloze gelegenheden krimpt hij ineen en lacht dan erg hard. Op een nacht springt hij, omdat het gordijn van het grote ledikant bewoog, uit het raam van het palazzo van de Signora in het water. Hij hoort schoten, maar bereikt de Piazetta, waar vissers hem te hulp komen.

Tien jaar later reist hij naar Venetië, alleen om dat raam nog eens goed te bekijken. Het is van een zeer verfijnde stijl, een geornamenteerde spitsboog, niet pompeus. Dat vervult hem met voldoening. Hij is nog jong, secretaris van kardinaal Borromeo en herkent Venetië terug. Op een feest ziet hij ook Valenzia. Ze is in niets veranderd, ze komt naar hem toe: maar híj is een ander geworden, hij maakt een zeer diepe buiging en trekt zich terug voor een ernstig gesprek met de senator Gritti. Vlak voor Pasen wordt hij kardinaal. Op Goede Vrijdag voelt hij het ruisen van de zware violette zijde die om zijn sterke schouders hangt. Hij geniet van de mooie knapen die zijn sleep dragen, hij geniet van het licht, de pracht en praal, en het gezang stijgt hem naar het hoofd als de geur van een wijngaard. Een jaar later ontbreekt de kardinaal bij de Paasfeestelijkheden. Hij woont op een van zijn landgoederen en verfraait zijn tuin. Op Paaszondag is hij in de plannen voor een nieuw slot verdiept. Misschien laat San-Sovin zich nog overhalen het voor hem te bouwen. 's Avonds herinnert een gunsteling zich ineens dat het Pasen is. De kardinaal lacht. Men treft snel toebereidselen voor een feest, waarop de meisjes uit Carmagnola komen, twee maal vijftig meisjes.

De kardinaal is zeer gastvrij. Overal doen verhalen over hem de ronde. Het volk houdt hem voor een tovenaar. Twintig schilders omringen hem, tien beeldhouwers werken in zijn parken, en er is geen dichter die hem niet met een of andere god vergelijkt. Op een dag ontvangt hij Valenzia. De Signora ziet er stralender uit dan ooit. Iedere dag geeft hij voor haar een feest. Terwijl het mooiste van die feesten in volle gang is wordt de kardinaal door een koerier een brief gebracht. Hij leest hem, wordt bleek en reikt hem Valenzia aan. 's Avonds vertrekt de Signora naar Rome. Zij heeft daar vrienden onder de kardinalen. 's Nachts wordt de kardinaal wakker. Hij leest de brief nog eens over en zijn favoriete knaap licht hem bij met een toorts. De laatste woorden zijn: de paus is dood.

Drie dagen later krijgt de kardinaal een brief van de oude hertogin van Ascoli, zijn moeder, uit Rome. Het is de eerste brief die hij van haar krijgt. Zij feliciteert hem ergens mee. Hij begrijpt het niet helemaal. Maar 's avonds wordt hij dringend naar Rome ontboden. Dan begrijpt hij het en neemt zich voor zijn moeder een Giorgone te schenken.

(1899)

Het huis

De grote katoenfabriek en textieldrukkerij Wörmann en Schneider bij Danzig had in Erhard Stilfried een uitstekende patroonontwerper ontdekt. Hij was nog een jongeman, even in de dertig, en na verloop van tijd bleek dat de zaak hem niet meer zou kunnen missen. Maar opdat zijn rijke talent zich geheel zou ontplooien was het nodig dat hij zijn kennis zowel in artistiek als in technisch opzicht zou perfectioneren. Hij moest een jaar lang de kunstnijverheidsschool te München bezoeken en er een tweede jaar voor uittrekken om de grotere fabrieken van zijn branche in Parijs, Wenen en Berlijn grondig te leren kennen. Kort na zijn huwelijk deed de zaak hem dit voorstel. Er was uiteraard geen sprake van dat hij zijn vrouw kon meenemen en daarom kon Erhard moeilijk tot een beslissing komen. Maar tenslotte hing het succes van zijn carrière ervan af, en ook zijn jonge vrouw zelf ried hem aan het te doen. Hij wachtte nog tot zijn eerste kind kwam en ging toen, na de voorspoedige geboorte van een zoon, op reis. Nu is hij weer op de terugreis. Hij zit derde klas in een gerieflijke trein en is Berlijn al voorbij. Het is hem wonderlijk te moede. Van opwinding trilt hij tot in zijn vingertoppen, buien van vrolijkheid bevangen hem bij vlagen en drijven weer over. Zijn medepassagiers kijken hem aan; hij pakt een of andere krant, kijkt hem in en denkt na. Wat is dat vlug voorbij gegaan. Twee jaar... het is bijna niet te geloven. Nou ja, dat kwam juist door het werk. Daardoor vergeet je de tijd. En gewerkt heeft hij: zijn chefs zullen perplex staan. Hij heeft hen maar oppervlakkig over zijn successen geschreven, de grootste verrassingen komt hij persoonlijk brengen. Het model voor de nieuwe kleurenpers bij voorbeeld. Een gek geval. Eigenlijk is hij het die de uitvinder heeft ontdekt. Een arme drommel, die met zijn uitvinding in zijn maag zat. Nu wordt zijn uitvinding in produktie genomen, gepatenteerd – er zal om gevochten worden. En de uitvinder, een zekere Sellier – waar was dat ook weer? O ja, in Parijs! In Parijs... nu klinkt dat Erhard al weer vreemd in de oren. Zijn vrouw schreef hem kort geleden: 'Je hebt nu de wereld gezien...' De wereld? Eigenlijk heeft hij in al die steden alleen maar gezocht naar wat *van hem zelf* was; als iemand, die een donkere kamer binnengaat om een bepaald voorwerp te pakken. Van de wereld heeft hij niet al te veel benul. Maar dat doet er voorlopig ook niet toe. Later kunnen ze samen nog wel eens een reis maken, een plezierreis – als het kind wat groter is. Ja, het kind! Hoe zou het eruitzien... wat voor gezicht zou het hebben? Hij heeft het immers alleen gezien toen het pas geboren was. En als kinderen nog zo klein zijn hebben ze eigenlijk geen gezicht. Zou het op hem lijken – of op haar? En dan denkt hij aan zijn vrouw. Een onmetelijke warmte doorstroomt hem, geen verheven gevoelens, heel gewoon warmte. Ze was indertijd wat bleek, maar dat was ook vlak na het kind. En nu zullen ze het ook wat breder krijgen. Ze zullen twee keer per week vlees kunnen eten... misschien ook die piano kopen – niet meteen – maar mettertijd... zo omstreeks Kerstmis.

De trein stopt. Mensen lopen heen en weer. Geroep: uitstappen! Uitstappen! De deuren slaan open, koude lucht komt de coupé binnen. De kruiers komen aanlopen in hun lichte linnen kielen. Hij aarzelt nog. Dan hoort hij iemand zeggen: 'Zo, zitten wij eventjes mooi vast!' Hij schrikt op. 'Pardon?' vraagt hij beleefd. 'Nou,' antwoordt iemand geërgerd, 'de aansluiting is al weg, nu moeten we maar zien hoe we verder komen.' Hij staat al buiten. Hij zoekt de stationschef; met de ellebogen baant hij zich lomp een weg door een menigte mensen – naar de chef. 'Ik moet onmiddellijk verder!' roept hij buiten zich zelf. 'Maar heren,' zegt de chef onbewogen tegen hem en de andere omstanders, 'ik kan er ook niets aan verhelpen. Uw trein had twintig minuten vertraging, de trein naar Danzig moest vertrekken. Ik moet de baan vrij hebben.' 'Maar er moet toch een mogelijkheid zijn...' De chef wendt zich tot Erhard: 'Weest u gerust, het is nu twee uur, om zeven uur gaat de sneltrein. Dus over vijf uur. Waar moet u heen?' De beambte heeft het al tegen iemand anders. Erhard staat met zijn tas op het langzaam leger wordende perron. Plotseling vraagt hij zich af: maar waar zijn we eigenlijk? Hij leest vlak boven zijn hoofd, in grote letters: Miltau. Miltau! Dat is twee uur met de trein vanaf Danzig, dus met een rijtuig ongeveer vijf. Hij besluit een rijtuig te nemen. Hij informeert bij een spoorwegman. Deze zegt chagrijnig: 'Ja, dan moet u naar de stad, hier is niets.' 'Is het ver naar de stad?' 'Nee.' Erhard doet een paar stappen, maar dan lijkt het hem een belachelijk idee. Wat kost zo'n rijtuig wel niet, en dan... om zo thuis te komen... en waar is het allemaal goed voor? Zijn vijf uur dan echt zo belangrijk? Hij glimlacht. Waar maak ik me druk over – zegt hij bij zichzelf: het is nauwelijks van belang; ik ben bij wijze van spreken al thuis... in de vestibule.

Dus gaat hij de restauratie binnen. Hij bestelt een cognac. Hij heeft het koud. Daar zit hij dan als iemand die iets wilde gaan doen maar vergeten is wat. Ten slotte schiet het hem te binnen; denken natuurlijk, net als vroeger. En hij probeert: zijn vrouw, zijn zoontje – bijna tweeëneenhalf. Kunnen kinderen van tweeëneenhalf al praten? Maar nee: het denken gaat niet. Het is hier anders dan in de trein, waar alles in beweging was. Hier in deze vervelende restauratie *staat alles stil*, alles staat stil en raakt onder het stof. En ook zijn gedachten staan stil. Maar hij heeft toch vaak genoeg op dit soort stations moeten wachten! Dit soort stations? O, ook wel op heel andere! En wat deed hij dan altijd? Welnu, hij hield het er nooit lang uit; meestal ging hij de stad bekijken. Dat is een idee. Hij drinkt nog een cognac en stapt op.

Eerst een straat vol kolengruis, zwart, vuil. Langs een oude schutting, steeds maar rechtuit. Dan over een brug die over iets onaangenaams leidt, een gracht met afval. Hij onderscheidt in de diepte een oude roestige emmer die zich tot de helft met slijk heeft volgezogen. En plotseling een fabriek. Schoorstenen, hoge plaatijzeren muren. Als een gigantisch sardineblikje – krankzinnig! En tenslotte iets als een stad; een huis rechts, een grote regenplas, een huis links... en dan een straat. Een winkeltje met pantoffels, tandenborstels en uien. Hij staat er een poos voor stil. Daarna loopt hij door tot het plein. Zijn blik wordt getrokken door een nieuw hoekhuis. Gelijkvloers een grote spiegelruit met bloemen erachter. Er staat 'Café patisserie' op. Hier zou ik wel een kop koffie kunnen nemen, denkt Erhard en loopt recht naar de ingang. Ook die deur heeft spiegelglas en draagt een opschrift: *Entrée* – in grootsteedse stijl. Maar Erhard loopt er voorbij. Het komt niet van pas, zegt hij bij zich zelf, nu nog iets te gebruiken, een of andere armzalige kop koffie! Ik ben immers al min of meer thuis. Dit is maar een tussenstation, iets volstrekt onbelangrijks. En steeds maar verder rechtdoor. Dan hoort hij een stem naderen: schallend, gezwollen, als zo'n rollende, uitdijende ster die je soms in een bepaald soort variététheaters ziet: eerst een stip, en dan stroomt het borrelend de zaal binnen, afschuwelijk, een weerzinwekkend, drabbig soort licht... Nu dan de stem: 'Nee... ik weet het zeker. En ik kom er heus wel achter waar ze zit! Maar als ik hém te pakken krijg..., sla ik hem dood...' Erhard kijkt op. Een grote, zware man loopt voorbij met naast zich een klein spichtig mannetje, dat nieuwsgierig naar hem luistert. De grote heeft een rood, angstaanjagend gezicht en zijn mond staat nog naar de vorm van het woord *dood*. Wat een type, denkt Erhard. Waarachtig, je zou er bang van worden! Dan steekt hij de rijweg over. Het plaveisel is erbarmelijk. Dit hele plein is trouwens van een troosteloze leegte! Het is alsof de huizen er te wijd voor geworden zijn en er maar zo'n beetje bij hangen. En daarginds... Nee maar, hoe merkwaardig: tussen al die voorgevels, die er dom en stomp uitzien als gezichten van hardhorige, scrofuleuze kinderen, – een ander huis. Met een in empirestijl versierde façade en twee vazen op het dak, aan weerszijden van de boogvormige nokgevel.

Erhard loopt erheen. Het huis wordt daardoor echter niet groter; het blijft belachelijk klein, ondanks zijn beschilderde halve pilaren en verfletste sepiabruine guirlandes. Het huis heeft een raam in de nokgevel, twee op de eerste verdieping en een klein ovaal venster naast de huisdeur, waarvoor drie treden liggen. Maar noch achter de ramen noch achter de deur bevindt zich schijnbaar iets, alsof er geen echt huis achter zit maar... En opeens denkt Erhard: waar heb ik dit huis toch al eens eerder...? Nou ja, zo gaat het altijd, op de gekste momenten denk je: waar heb ik dat toch al eens...? Erhard komt nog wat dichterbij. Plotseling beseft hij dat hij heeft aangebeld. Wat een stommiteit! En hij wil ervandoor gaan; maar het slot knarst al en hij schaamt zich om zomaar weg te lopen.

'Wat wilt u?' Het is een vrouw, zo te zien nog jong, met weifelende ogen.

'Ik,' zegt Erhard aarzelend, 'ach, neemt u me niet kwalijk..., ik...'

'Komt u toch binnen, het is koud,' zegt de vrouw, en ze maakt geen overmatig verbaasde indruk.

Het is niet koud buiten, het is begin voorjaar, maar desondanks is Erhard het met haar eens dat het koud is en schuift naar binnen. In de gang is het lauw en drukkend. Erhard wordt bij het binnengaan vluchtig beroerd door de stola die de vrouw om zich heen heeft geslagen en die voelt merkwaardig zacht aan. Ze staat nu vlak naast hem. 'Hier naar boven,' zegt ze en gaat hem voor op een smalle, krakende trap. Een kamer. Een wazig rode schemering; waarschijnlijk zijn de gordijnen voor de ramen van rode tule. Of brandt er ergens een verborgen lamp?

'Gaat u zitten,' zegt de vrouw. Ze heeft de zachte stola afgedaan en ergens neergegooid en strijkt een vacht glad die over een canapé ligt. Haar armen zijn naakt, haar jurk zit losjes om haar heen en hindert haar bij geen van haar bewegingen. En haar stem is al net als haar jurk. Erhard slaat haar gade. Plotseling komt hij tot bezinning. 'Mijn excuses,' zegt hij op zijn schuchtere, beleefde manier, 'ik dring hier zomaar binnen...' Zij lacht en nestelt zich diep in de vacht, die opbolt. 'Ik...' aarzelt Erhard, steeds onzekerder, 'ik zag dit huis en... het is heel vreemd, dit huis!'

Ze zit te lachen, vouwen lopen langs haar benen en verdwijnen weer, – komt dat door het licht? – 'Dit huis...' probeert Erhard 'het zal wel oud zijn, is het niet?' Ze lacht en zegt: 'Ja, een oud huis. Maar waarom gaat u niet zitten, hierzo' en ze trekt een lage stoel, waar eveneens een vacht op ligt, naar zich toe. Ogenschijnlijk in gedachten legt Erhard zijn hoed weg en gaat zitten.

'Bent u hier vreemd?'

'Ja,' antwoordt Erhard, 'ik ben, om zo te zeggen, het huis heeft me alleen...' En weer is hij de kluts kwijt. Hij voelt dat alles in deze kamer hem aait en streelt, de kussens vlijen zich tegen zijn rug aan, en in zijn handpalmen voelt hij de vacht als kattetongen die hem zachtjes likken.

Plotseling leunt de vrouw achterover, legt haar armen achter haar hoofd met de ellebogen naar buiten, als een kussen, en vraagt met een andere stem dan daarnet: 'Hoe lang is het nu geleden dat we elkaar ontmoet hebben?'

Erhard begrijpt haar vraag niet. 'Wáát...?' vraagt hij.

'Nou, dat was toch in Berlijn, bij Kroll...'

Erhard wordt de rust zelve: 'Nee,' zegt hij, 'u hebt waarschijnlijk de verkeerde voor; ik ben Erhard Stilfried, patroonontwerper.'

En hij wil weggaan. Zij schijnt hem helemaal niet gehoord te hebben; eensklaps buigt ze zich echter naar voren en lacht: 'Het was in München...'

Erhard probeert op te staan. Maar haar lach maakt hem duizelig.

'In München! En jij doet net alsof je van niets weet. Op de Oktoberwiese...'

Opnieuw weert Erhard onzeker af: 'Nee, u vergist zich vast, ik...' En op hetzelfde moment schiet hem een meisje te binnen, – anderhalf jaar geleden – in München ja, – ja, in München, één nacht – de enige nacht in deze twee jaar. – Hij had toen ongetwijfeld een beetje te veel gedronken, en het meisje: – en ineens weet hij alles weer. Alleen – dát meisje, meent hij zich te herinneren – was smal, tenger, een beetje ziekelijk... en *deze*? Hij probeert haar te bekijken. Op deze blik heeft ze zitten azen. Ze vangt hem op, speelt ermee, laat hem in haar schoot vallen, slaat hem op naar haar haar, dat onverwachts losvalt... Onderwijl praat ze aan één stuk door, allemaal kleine, korte, als het ware ronde woordjes, ze jijt en jout hem en noemt hem ook bij een naam die hij op een of andere manier kleverig vindt en die hij verafschuwt. En het wordt hem volkomen duidelijk: nee, dit is niet dat ene meisje, beslist niet. En dat meisje, dat hij maar één keer gezien heeft, die bewuste nacht in München, staat hem duidelijk voor de geest: bleek en smal. En vastbesloten staat hij op. Maar dan vraagt hij zich opeens af: hoe kan *deze* daar iets van weten? En dadelijk daarop geeft hij zich zelf het geruststellende antwoord: ze weet er *niets* van, ze probeert alleen maar uit. En hij zegt: 'Overigens moet ik nu snel naar de trein, ik ben namelijk op reis...' Hij zegt het bijna onbeschoft; hij herinnert zich wat hem thuis wacht en wordt over-

mand door verlangen en geluk. Wat een rare, onnozele geschiedenis! denkt hij (en pakt zijn hoed), maar
het is immers maar een voorvalletje tussendoor, volmaakt onbelangrijk.

'U bent... patroonontwerper?' vraagt zij met een
andere, derde stem en komt naast hem staan. Hij beaamt het. 'O, wacht u heel even,' smeekt zij bekoorlijk.
'U bent dus een deskundige. Ik zou u graag een stof
willen laten zien, ik weet niet of ik die kan verven, in
verband met het dessin... wilt u me raad geven?'

Erhard legt zijn hoed weer neer.

'Met genoegen,' zegt hij zakelijk, 'ik heb nog wel
een ogenblikje.'

En ze verdwijnt door een kleine deur in het be-
hang, die langzaam weer achter haar opengaat. Erhard kijkt op de klok. Vijf uur pas, dus hij heeft nog
twee uur. Wat lang nog, en toch is het eigenlijk... nu
komt het er immers niet meer op aan; om tien uur ben
ik in Danzig, dan met het lokaaltreintje, welaan, vóór
elven nog kan ik thuis zijn, glimlacht hij.

Dan roept ze hem vanuit de kamer ernaast. Weer
als daarnet, met die weke, lokkende stem waarin een
lach doorklinkt. Onwillekeurig gaat Erhard de kamer binnen. Ze knielt voor een openstaande, geweldig grote kleerkast en trekt ergens aan: 'Ik krijg deze
la er niet uit,' zegt ze met kinderlijke koppigheid. Erhard knielt naast haar. Hij voelt de speelse kracht die
haar armen spant. Uit de jurken die boven in de kast
hangen walmt een zware, bedwelmende lucht als
uit een jasmijnstruik. Hij beproeft zijn krachten op
de la, maar zijn handen kunnen alleen maar naar houvast zoeken en zijn wonderlijk krachteloos. Langs zijn
voorhoofd streelt de onderrand van de jurken, ...of is
het een hand? En plotseling valt er iets over hem heen
als een kleed en... vele kussens... en een beven...

Plotseling iets als de slinger van een grote klok. De
zachte armen duwen hem weg. En de slinger gaat...;
heen en weer, heen en weer. Erhard leunt met zijn

rug tegen de jurken, die boven in de kast hangen; ze zijn koud en stijf. Een waanzinnige angst overvalt hem. Ik moet weer verder, denkt hij en hoort het geluid van de slinger aanzwellen. En hij heeft het idee dat hij loopt, dat hij rent, maar in werkelijkheid staat hij voor de kast en staart naar de deur. Daar is de man met het rode hoofd, die hij al eens gezien meent te hebben. Hij spant zich in: waar héb ik hem toch al eens eerder...? Oho, die man denkt zeker dat hij praat? Hij trekt zo met zijn mond. Maar hij vergist zich. Het is doodstil (Erhard kan er een eed op doen), doodstil. En dadelijk daarop weet hij: natuurlijk, en nu moet men sterven. Het is immers van geen belang. Dit is immers maar een tussenstation, – een...

Een schrille, ijzingwekkende kreet onderbreekt zijn gedachten. Aha – denkt hij – nu heeft hij haar doodgeslagen. Wie heeft hij doodgeslagen? Hij heeft geen tijd om daarover na te denken. Want de grote man wordt snel groter, – de deur, de muur, alles – de hele kamer is de man met het rode hoofd geworden.

Opnieuw angst, een seconde, niet meer dan een seconde, ...dan is de man weer kleiner, relatief, en daar gaat een buitengewoon kalmerende werking van uit, hoewel hij een voorwerp opheft, ...een val, diep, diep, en... sterren, miljoenen sterren...

Maar langzaam, als van ver komt er weer een gedachte in hem op, een gesprek zelfs: Erhard Stilfried zegt in de loop van dit gesprek tegen iemand: 'Het is volmaakt onbelangrijk, een paar uur, ...ik had net zo goed kunnen gaan slapen...'

En weer een val, verschrikkelijk.

En geen gedachte meer.

(1899)

De drakendoder

Oorspronkelijke versie

Dit verhaal begint als een sprookje maar dringt diep in het gebied van het werkelijke door. En dat heeft het uiteindelijk met alle echte sprookjes gemeen, waarmee het overigens op tal van punten verschilt. Het begint: er was eens een mooi en vruchtbaar land met bossen, velden, rivieren, wegen en steden. Het werd geregeerd door een koning die door God was aangewezen, een grijsaard, ouder en hoogmoediger dan enige koning waarover ik ooit geloofwaardige dingen heb horen vertellen. En enig kind van deze koning was een meisje dat één en al jeugd, verlangen en schoonheid was. De koning was vermaagschapt aan alle vorstenhuizen in de omtrek, maar zijn dochter was nog een kind. Ongetwijfeld vormden haar mildheid en de aantrekkingskracht van haar stille gelaat de onschuldige beweegredenen voor de draak om, naarmate ze ouder werd en opbloeide, naderbij te sluipen, en ten slotte als de vleesgeworden verschrikking neer te strijken in een bos aan de rand van de mooiste stad van het land. Want er bestaan geheime betrekkingen tussen de schoonheid en het verschrikkelijke, als tussen de toppen der bergen en de afgronden, als tussen de stille meren en de woeste beken die zij voeden, als tussen het lieftallige, lachende leven en de altijd nabije, mysterieuze, dagelijkse dood.

Daarmee is niet gezegd dat de draak de prinses vijandig gezind was, zoals ook niemand naar eer en geweten kan zeggen dat de dood een vijand van het leven is. Misschien zou het grote, van razernij kokende dier zich wel als een hond naast het schone meisje hebben neergevlijd en had alleen de afschuwelijkheid van zijn tong hem ervan weerhouden om haar lieflijke handjes te likken met de deemoed van het dier. Maar natuurlijk hield men de maagd bij de draak weg, te meer daar deze de ongelukkigen die toevallig, uit onwetendheid of uit overmoed, in zijn buurt kwamen met weinig consideratie behandelde en als een zichtbare dood al wat leefde – kinderen en kudden vee niet uitgezonderd – greep en nooit meer teruggaf.

Waarschijnlijk merkte de koning in het begin met grote voldoening op hoe dit gevaar, deze rampzalige toestand vele jongelingen van zijn land tot mannen opvoedde, zodat zij zich met wapens toerustten en afscheid namen van bejaarde ouders en rijzige verloofdes, tegenover wie zij nog nooit van de liefde gerept hadden; en deze jongelieden van alle standen, edelen, leerling-priesters en knechten, trokken er op uit als naar een vreemd land, en het heldendom van één vurig, ademloos uur viel hen ten deel, een uur waarin zij groot werden, leefden en stierven als de dromen van een koortslijder. Na een paar weken kwam het in niemand meer op om deze dappere zonen te tellen en hun namen in de kronieken van het rijk op te tekenen. Want in tijden van nood en angst raakt het volk ook aan helden gewend; helden zijn dan niets bijzonders meer. De zielstoestand en de angst van duizenden mensen maken hun komst dringend vereist en plotseling zijn ze er ook, als een noodzakelijkheid, alsof ze worden voortgebracht door die machtige wetten die ook in tijden van onheil van kracht zijn.

Maar toen de jongelieden die zich na een felle verdediging opofferden in aantal bleven toenemen, toen in bijna alle gezinnen van het land de beste zoon (meer dan eens op nog zeer jeugdige leeftijd) gesneuveld was, werd de koning met recht bang dat alle eerstgeborenen van zijn land te gronde zouden gaan en dat té veel jonge meisjes de maagdelijke weduwstaat in dagelijkse rouw om de geliefde op zich zouden moeten nemen voor de lange jaren van een kinderloos vrouwenleven. En hij verbood zijn onderdanen de strijd. Uitheemse kooplieden echter, die in sprakeloze ontzetting de in het nauw gedreven stad ontvluchtten, terwijl de draak in de verte duidelijk hoorbaar sliep, gaf hij de kondschap mee die zovele koningen reeds in dergelijke gevallen hadden laten verspreiden. Hij beloofde iedere onbekende (of hij nu van adellijke geboorte was of de zoon van een beul) de hand van zijn dochter als hij het geplaagde land van deze grote dood zou weten te verlossen en de nu uitgestorven, zwaar beschadigde heirwegen weer terug zou weten te geven aan verkeer en handel.

En ook buiten het rijk bleken er meer dan genoeg helden voorhanden. Ze kwamen op hun zware, afgematte paarden het land binnenrijden, stegen af bij een nachtverblijf langs de heirweg en vroegen om onderdak voor één nacht. Want ze wilden nog één keer slapen en een bad nemen in de avondkoelte en een gebed richten tot de sterren en tot de volgende morgen, die ze met angstig ongeduld tegemoet zagen. Maar er waren er ook die niet aan bidden dachten maar langs sluipwegen naar de stad reden en de nauwe straatjes opzochten waar achter rode gordijnen bereidwillige meisjes woonden, die nog konden lachen in een tijd waarin de meeste mensen lachen slecht en zondig vonden. Dat waren de zwervelingen, de avonturiers, zij die in hun leven veel verloren hadden, rusteloze ridders, voor wie de volgende morgen niets bijzonders was, helden uit wanhoop en melancholie. Maar noch zij, noch de eerstgenoemden schenen aan de beloning te denken die de overwinnaar was beloofd. De koningsdochter was de enige die daar aan dacht. Had haar door de chaos en het verdriet van het hele land gepijnigd hart tot nog toe de verdelging van het monster gewenst en afgesmeekt, nu ze de sterke onbekende die dan zou komen was toegezegd, verbond haar onbewuste gevoel zich met de reusachtige draak en na verloop van tijd ontdekte zij in de oprechtheid van haar dromen gebeden, die heilige vrouwen vroegen het monster te beschermen.

Op een morgen, toen ze vol schaamte uit zulke dromen wakker was geworden, bereikte haar een gerucht dat de tongen in de stad al enige tijd in beweging hield. Het ging om een prille jongeman die net als de anderen hierheen was gekomen om het tegen de draak op te nemen (men wist niet waar hij vandaan kwam) en die er weliswaar niet in geslaagd was het beest te doden, maar de afloop van het gevecht wel persoonlijk kon navertellen. Zijn paard gaf hij prijs aan de wraak van de vijand, hij sleepte zich uitgeput en onder het bloed het bos in (hij begreep zelf niet hoe dat mogelijk was geweest), sleepte zich een dag en een nacht voort en werd de volgende morgen verkleumd in zijn koude harnas gevonden, ogenschijnlijk dood en verstijfd. Maar in het huis waar men hem naar toe had gebracht kwam hij bij en nu lag hij daar met hoge koorts, en het bloed dat uit zijn wonden stroomde werd als een branding door de hete, brandende verbandwindsels gebroken. Toen het jonge meisje dit vernam had ze onmiddellijk, zonder zich te kleden, barrevoets, in haar witte zijden hemd over het scherpe, koude stenen plaveisel door de straten willen rennen om aan het bed van de zwaargewonde te zitten en hem te koesteren met haar heldere, naïeve wezen als met stilte en licht. Maar toen de drie blonde kamermeisjes haar gekleed hadden en ze haar prachtige gewaad en treurige gezicht in de vele spiegels van het slot voorbij zag glijden verliet de moed voor iets zo buitensporigs haar, en ze bepaalde zich er toe een oude dienaar, die haar niet mocht verraden, in het geheim naar het afgelegen huis te sturen en hem repen koel linnen mee te geven, weldadige zalven die geurden als bloemen in de avond en een kruik sterke oude wijn, die, naar ze geloofde, de leugenachtige koortshitte zou temperen en de aderen van de ridder hun jeugdige vuur terug zou geven. Drie keer legde de dienaar deze weg af en de derde dag bracht hij de kostelijke zalven weer mee terug, want de vreemdeling had ze niet meer nodig. Hij was dood. De oude onderdanige dienaar schrok, zijn knieën knikten, toen de koningsdochter hem beval haar bij het vallen van de nacht, zodra men in het slot sliep, naar de onbekende in dat afgelegen huis te brengen. Maar uit haar stem sprak zo'n vaste wil en zoveel onverzettelijkheid, dat hij niet durfde te protesteren, uit angst ook dat ze anders op eigen houtje, zonder zijn bescherming, de ongehoord donkere weg naar het huis zou gaan zoeken.

Het was een van die voorjaarsavonden waarop de wereld drie keer zo groot lijkt als normaal. Is de hemel uitgedijd? Is de aarde gekrompen? Je weet het niet. Langzaam lopen de wegen naar het dal en schijnen de witte huizen zonder stoppen te passeren en trekken geruisloos voorbij alsof ze zich ergens tot één stille, grote weg willen verenigen, die lijnrecht naar verten voert die nu wijd open liggen, en naar de nacht, aan welks laatste grenzen de eerste sterren verrijzen als verre steden.

De maagd hield gelijke tred met haar wild slaande hart, zodat de oude man haar maar nauwelijks bij kon houden. Verbazingwekkend vlug hadden zij het huis bereikt, waarin iedereen scheen te slapen, op de dode na; want bij hem was nog licht. De vlam van een pektoorts danste in zijn zwarte beker als de ziel van een booswicht en in zijn weifelende, steeds wegglippende schijnsel leek de ruimte nu eens onafzienbaar groot en dan weer zo klein dat je bang was je aan alles te stoten. De dode lag plat op een grote tafel, hij was erg lang en slechts gekleed in een hemd van grove stof dat tot over zijn voeten viel en daar als een soort zak was dichtgeknoopt. Men had zijn handen tot gebed proberen te vouwen maar daarvoor waren ze zeker al te stijf geweest en het licht sprong door de mazen tussen zijn vingers de schaduwen na, zodat het leek of er iets onder leefde. De oude man probeerde met afwerende gebaren de dode voor de prinses te verbergen. Ze had hem echter al gezien. Ze liep de grijs-aard voorbij alsof ze recht door hem heen ging, zon-der de minste verbazing en vastberaden, alsof de aan-blik van de dood niets nieuws voor haar was. Als een engel boog ze zich over hem heen, sloot hem de ogen en drukte de mateloze zoetheid van haar eerste kus op de vreemde, verkilde mond. Toen viel ze op haar knieën en lag op de grond en verborg haar gezicht in haar ijskoude handen en zond een gebed op dat uit allerlei onsamenhangende gebedsflarden bestond en weende. Toen ze weer opstond herkende ze haar om-geving met moeite en stond eenzaam, doodsbang in de door de vlam heen en weer geslingerde kamer. Ze riep de oude dienaar en durfde zich niet naar hem om te draaien. Ten slotte zag ze dat hij op de brede vensterbank zat te slapen. Ze overwoog hem wakker te schudden maar kon de moed niet opbrengen om deze in bewusteloosheid verzonken gestalte, die haar plotseling aan de dode deed denken, aan te raken. Ze geloofde niet meer aan de slaap. Op dat moment werd ze zich bewust dat haar blik voortdurend naar een deur werd getrokken die tegenover de deur lag waar-door ze was binnengekomen en waardoor je ongetwij-feld dieper in het huis kon komen. Deze deur was gesloten en viel nauwelijks van de lange lege muur er omheen te onderscheiden. Maar op ooghoogte zat een klein rond glazen raampje, dat af en toe opblikkerde als het rusteloze schijnsel van de pekvlam erlangs gleed. En het meisje wist dat er iemand achter stond, die haar door dat donkere gat, waar ze zelf niet door-heen kon zien, gadesloeg, en niet moe werd haar te bekijken. Ze wist dat iemand daar de wacht hield die geen behuilde, maar droge, spiedende ogen had, die zo dichtbij waren dat hij waarschijnlijk met zijn neus te-gen de deur aangedrukt stond. Ze voelde dat zij nog nooit tevoren iets zo zeker had geweten. En door dit gevoel viel alle ontzetting van haar af. Zij was bijna niet bang meer, alleen maar verdrietig. En ze liep langzaam naar buiten, gebogen onder de last van haar verdriet.

Zij zag dat het huis alleen stond en dat het omgeven was door grote zwarte bomen, even roerloos als de hoge hemel van de voorjaarsnacht. Deze rust deed haar goed en genas haar door de stoten van de flakkerende vlam verwonde ogen. Zij liet het aan de weg over waar hij haar zou brengen. Een nachtegaal zong. Het was maar de eerste helft van zijn lied, die korte weemoedige vraag, die hij steeds weer aanhief. Hij wist er nog geen antwoord op. En zijn stem, die in de tuinen van het slot zo zacht en heerlijk klonk, was veel te schel, als die van een vreselijke vogel, die zijn nest op de kronen van negen eiken heeft gebouwd. De jonge koningsdochter was nimmer zo alleen geweest. Het leek alsof zelfs de dingen haar in de steek lieten want nergens zag ze een huis, en het blaffen van een hond dat ze van tijd tot tijd hoorde was al heel ver weg. Ze liep alleen nog om niet te verkleumen. Het was haar alsof haar lippen alle koelte uit de nacht zogen, en haar mond brandde van kou. Als ze erover nadacht herkende ze het verleden niet meer terug en een toekomst had zij niet. Zo dreef ze weg, als een lichtend blad dat het leven heeft losgelaten.

Plotseling zag ze een ruiter naderen. Onwillekeurig kroop ze weg in het donkere, natte kreupelhout. Hij reed langzaam en zijn paard was donker van het zweet en beefde. En ook de ruiter zelf scheen te trillen; de ringetjes van zijn maliënkolder rinkelden zacht. Hij droeg geen helm, zijn handen waren onbedekt en zijn zwaard hing er moe bij. Zijn haren wapperden een beetje en zijn jong gelaat was verhit en edel. Zijn ogen keken zelfverzekerd in de richting waar de morgen moest verschijnen en schitterden alsof ze hem al zagen.

Zo reed hij voorbij. Het meisje keek hem lang na. Opeens wist ze: hij heeft de draak gedood. En tegelijk voelde ze dit als een zware teleurstelling. Nu was ze geen verloren voorwerp meer in de nacht, ze behoorde deze trillende held toe die de morgen tegemoet reed, en hij, die haar nu nog niet kende, zou morgen in alle huizen naar haar zoeken en vurig naar haar verlangen als naar de spoorloos verdwenen zuster van zijn zwaard.

Nu vond ze ineens zonder moeite de weg naar het slot van haar vader en stuitte bij een geheime deur op de ontroostbare oude dienaar, die haar overal had gezocht. Vanuit haar kamer zag ze de morgen al aanbreken.

De jonge prinses werd na nog een paar uur te hebben geslapen gewekt door het luide vreugdebetoon van het land. De mensen jubelden en in de torens sloegen de klokken haast om hun as heen. Iedereen scheen te willen dat de redder zich vertoonde; maar hij vertoonde zich niet. Hij was al ver van de stad, met een hemel vol leeuweriken boven zich. Had iemand hem aan de beloning voor zijn wapenfeit herinnerd, dan was hij misschien lachend omgekeerd; hij was die totaal vergeten.

Maar zij, die hem eigenlijk toebehoorde, wist dat hij niet zou komen. Ze probeerde zich hem voor te stellen, omspoeld door de uitbundige dankbaarheid van de menigte: ze kon het niet. Ze zag voor zich hoe hij eenzaam op zijn paard naar de morgen reed en hoe zij zelf achterbleef. Maar ze bleef achter als een ander dan degene die ze geweest was. Ze was gerijpt. Ze dacht aan de dode die ze had gekust en aan de levende die ze had verloren, en voor het eerst vermoedden haar gedachten iets van het leven.

De drie kamermeisjes, die dachten dat dit de dag was waarop zij bruid zou worden, brachten haar een groot feestgewaad, veel volwassener dan ze tot dusver ooit had gedragen. En ze liet toe dat ze haar met het sieraad van smaragden en paarlen tooiden dat haar grootmoeders nog gedragen hadden en dat haar het aanzien gaf van een grote dame. Toen liep ze, lichtelijk bleek, langs de vele spiegels, met haar lange witte sleep ruisend achter zich aan. En later hoorde men haar zingen. Ze zong een lied dat ze nog nooit gezongen had en dat niemand in het slot kende.

De koning zat echter in de hoge troonzaal en de oude paladijnen van het rijk stonden om hem heen in luisterrijke dracht. Hij wachtte op de komst van de vreemde held. Het kwam niet in hem op dat hij wel eens vergeefs zou kunnen wachten. Want deze koning was erg oud en hoogmoedig en van een andere tijd.

(1901)

De doodgraver

In San Rocco was de oude doodgraver gestorven. Iedere dag werd omgeroepen dat de post vacant was. Maar er verliepen minstens drie weken zonder dat zich iemand aanmeldde. En daar er al die tijd niemand stierf in San Rocco leek er ook geen haast bij de zaak te zijn en wachtte men rustig af. Tot er op een avond in mei een vreemdeling verscheen die het ambt wilde aanvaarden. Gita, de dochter van de Podestà, zag hem het eerst. Hij kwam uit de kamer van haar vader (ze had hem niet zien komen) en liep recht op haar af, alsof hij wel had verwacht haar in de donkere gang tegen te komen.

'Ben jij zijn dochter?' vroeg hij op zachte toon, met een vreemde klemtoon op ieder woord.

Gita knikte en liep aan de zijde van de vreemdeling naar een van de diep in de muur liggende ramen, waar het laatste zonlicht van de stille avondlijke straat door viel. Daar bekeken zij elkaar aandachtig. Gita was zo in de aanblik van de vreemde man verdiept, dat zij zich pas achteraf realiseerde dat ook hij haar al die tijd moest hebben staan opnemen. Hij was groot en slank en droeg een zwart reiskostuum van buitenissige coupe. Zijn haar was blond en hij droeg het als een edelman. Hij had trouwens helemaal iets van een edelman over zich, hij had een geleerde kunnen zijn of een dokter; wat gek dat het een doodgraver was. En onwillekeurig zochten haar ogen zijn handen. Hij hield ze haar allebei voor, alsof het een kind was dat hij haar voorhield.

'Het is geen zwaar werk,' zei hij; en hoewel ze naar zijn handen keek voelde ze de glimlach om zijn lippen die haar verwarmde als een zonnestraal.

Toen liepen ze samen naar de voordeur van het huis. In de straat viel de schemering al in.

'Is het ver?' vroeg de vreemdeling en blikte de huizen langs tot aan het eind van de straat; de straat was uitgestorven.

'Nee, niet zo ver; maar ik zal je de weg wijzen, want die zou je onmogelijk weten te vinden, vreemdeling.'

'Weet je de weg?' vroeg de man ernstig.

'Ik ken hem goed, al van kindsbeen af, omdat het de weg naar mijn moeder is, die al vroeg van ons werd weggenomen. Ze ligt daarginds begraven, ik zal je wijzen waar.'

Toen liepen ze verder, wederom zwijgend, en hun voetstappen klonken in de stilte als één enkele voetstap. Plotseling vroeg de man in het zwart: 'Hoe oud ben je, Gita?'

'Zestien,' zei het meisje en richtte zich iets op onder het lopen, 'zestien, en elke dag weer een klein beetje ouder.'

De vreemdeling glimlachte.

'Maar hoe oud ben jij?' vroeg zij, eveneens glimlachend.

'Ouder, ouder dan jij, Gita, twee keer zo oud, en iedere dag weer heel veel ouder.'

Nu stonden zij voor het hek van het kerkhof.

'Daar is het huis waarin je komt te wonen, naast de lijkenkamer,' zei het meisje en haar hand wees door het hekwerk heen naar het andere eind van het kerkhof, waar een geheel met klimop overgroeid huisje stond.

'Zo, hier is het dus,' knikte de vreemdeling en liet zijn blik langzaam over zijn nieuwe stuk grond gaan, van het ene eind naar het andere. 'Die vorige doodgraver was al een oude man, hè?' vroeg hij

'Ja, een heel oude man. Hij heeft hier met zijn vrouw gewoond, en die was ook heel oud. Ze is hier dadelijk na zijn dood vandaan gegaan, ik weet niet waarheen.'

De vreemdeling zei alleen maar 'Zo,' en scheen aan iets heel anders te denken. Maar plotseling wendde hij zich tot Gita: 'Nu moet je gaan meisje, het is al laat. Ben je niet bang, zo helemaal alleen?'

'Nee, ik ben altijd alleen. Maar jij, ben jij hier niet bang, zo ver van de stad?'

De vreemdeling schudde het hoofd en nam de hand van het meisje en drukte die met een teder, beschermend gebaar: 'Ik ben ook altijd alleen...' zei hij zacht, en toen fluisterde het meisje ademloos: 'Hoor.' En ze hoorden allebei een nachtegaal die in de doornhaag van het kerkhof begon te zingen, en zijn aanzwellende roep klonk overal om hen heen en het was alsof ze volstroomden met het verlangen en de heerlijkheid van dit lied.

De volgende morgen begon de nieuwe doodgraver van San Rocco met de uitoefening van zijn ambt. Zijn taak vatte hij zonderling op. Hij herschiep het hele kerkhof tot een grote tuin. De oude graven verloren hun peinzende droefgeestigheid en werden onder bloeiende bloemen en wenkende ranken bedolven. En aan de overkant van het middenpad, waar tot dusver alleen maar een leeg, verwaarloosd grasveld was, maakte de man een groot aantal kleine bloembedden van dezelfde vorm als de graven aan de andere kant, zodat de twee helften van het kerkhof elkaar in evenwicht hielden. De mensen uit de stad konden hun geliefde graven maar met moeite terugvinden, en zo kon het zelfs voorkomen dat er een oud moedertje bij een van de lege bloembedden neerknielde en weende, zonder dat dit hoogbejaarde gebed daarom nu verloren hoefde te gaan voor haar zoon, die ver over het middenpad onder kleurige anemonen rustte. Maar als de mensen van San Rocco dit kerkhof zagen gingen zij niet meer zo diep onder de hartvochtige dood gebukt. Als er eens iemand stierf (en in dit gedenkwaardige voorjaar trof het lot meestal oude mensen), dan was de weg naar buiten nog steeds wel erg lang en troosteloos, maar eenmaal op het kerkhof kreeg het altijd iets van een klein, stil feest. Van alle kanten schenen bloemen toe te stromen die de grafkuil zo snel overstelpten, dat het was alsof de aarde haar zwarte mond alleen had geopend om bloemen te zeggen, talloze bloemen.

Gita was getuige van al deze veranderingen; bijna altijd was zij buiten bij de vreemdeling. Als hij aan het werk was stond ze ernaast en stelde hem vragen, die hij beantwoordde; hun gesprekken werden door het ritme van het spitten beheerst en herhaaldelijk door het lawaai van de schop onderbroken. 'Van een eiland,' antwoordde de vreemdeling op een van haar vragen. 'Van een eiland,' en hij bukte zich om onkruid te rapen, 'van de zee. Van een andere zee. Een zee die met die van jullie (soms, diep in de nacht, hoor ik haar ademen, al is zij dan meer dan twee dagreizen hier vandaan) weinig gemeen heeft. Onze zee is grijs en wreed en heeft de kustbewoners somber en zwijgzaam gemaakt. In het voorjaar voert ze stormen aan waar maar geen eind aan komt en waar niets in kan groeien, zodat de meimaand onbenut voorbijgaat, en 's winters vriest ze dicht en maakt iedereen die op de eilanden woont tot gevangenen.'

'Wonen er veel mensen op de eilanden?'

'Niet veel.'

'Ook vrouwen?'

'Ja, ook vrouwen.'

'En kinderen?'

'Ja, kinderen ook.'

'En doden?'

'En heel veel doden; want de zee voert talloze doden aan en legt ze 's nachts op het strand, en wie ze vindt schrikt niet maar knikt alleen, knikt als iemand die het allemaal al lang weet. Er is bij ons een oude man die van een eilandje wist waar de zee zoveel doden naar toe bracht dat er geen ruimte meer overbleef voor de levenden. Ze waren als het ware belegerd door lijken. Misschien is dat maar een vertelsel en vergist de oude man zich wel. Ik geloof dat verhaal niet. Ik geloof dat het leven sterker is dan de dood.'

Gita zweeg even. Toen zei ze: 'En toch is mijn moeder gestorven.'

De vreemde man hield op met werken en leunde op zijn schop: 'Ja, ik kende ook een vrouw die stierf. Maar die wilde het.'

'Ja,' zei Gita ernstig, 'ik kan me indenken dat je dat wilt.'

'De meeste mensen willen het en daarom sterven ook de weinigen die willen blijven leven; ze worden meegesleurd, zonder dat men hen om toestemming vraagt. Ik heb veel van de wereld gezien, Gita, ik heb met veel mensen gepraat en ze naar hun diepste overtuigingen gevraagd. Maar er was niemand bij die niet wilde sterven. Natuurlijk, ze zeiden vaak het tegenovergestelde, en hun angst sterkte hen daarin; maar wat zeggen de mensen wel niet allemaal. Op de achtergrond was hun wil, de wil die niet spreekt, en die viel, viel naar de dood toe, zoals de vrucht van de boom valt. Onweerhoudbaar.'

Zo kwam de zomer. En iedere dag opnieuw was Gita al zodra de vogeltjes wakker werden buiten bij de vreemde man uit het Noorden. Thuis waarschuwden ze haar, ze vitten op haar en probeerden haar met geweld en straf tegen te houden: maar zonder succes. Gita viel de vreemdeling toe als een erfdeel. Eens liet de Podestà hem roepen, en dat was een kolossale kerel met een zware, dreigende stem. 'U hebt een eenzame dochter, meter Vignola,' antwoordde de vreemdeling onverstoorbaar op alle verwijten, terwijl hij een lichte buiging maakte. 'Ik kan haar niet verbieden bij mij en haar moeder in de buurt te zijn. Ik heb haar niets gegeven, niets beloofd en met geen woord heb ik haar ooit bij mij geroepen.' Dat zei hij eerbiedig, maar ook vol zelfvertrouwen, en liep weg toen hij uitgesproken was; want er viel niets meer aan toe te voegen.

Buiten stond de tuin nu in bloei en strekte zich uit

tussen zijn vier heggen en beloonde het werk dat eraan besteed was. En soms konden zij wat eerder met
werken ophouden en op de kleine bank voor het huis
gaan zitten en kijken naar het langzame, indrukwek-
kende vallen van de avond. Dan stelde Gita vragen en
de vreemdeling antwoordde en daar tussendoor waren er lange stiltes tussen hen, waarin de dingen tot
hen spraken. 'Vandaag wil ik je over een man vertellen wiens geliefde vrouw stierf,' begon de vreemdeling eens na zo'n stilte, en zijn handen, die hij in elkaar had gelegd, trilden. 'Het was herfst en hij wist
dat zij zou sterven. De artsen zeiden het, maar die
hadden zich nog kunnen vergissen. Maar zij zelf, de
vrouw, zei het al veel eerder. En zij vergiste zich niet.

'*Wilde* ze sterven?' vroeg Gita, omdat de vreemdeling wachtte met verder gaan.

'Ja Gita, ze wilde sterven. Ze wilde iets anders dan
leven. Er waren voor haar gevoel altijd te veel mensen om haar heen, ze wilde alleen zijn. Ja, dat wilde
ze. Als meisje was ze niet zo alleen als jij; en toen ze
trouwde wist ze dat ze alleen was; maar ze wilde alleen zijn maar het niet weten.'

'Had ze geen goede man?'

'Ze had een goede man, Gita; want hij hield van
haar en zij van hem, en toch, Gita, konden ze elkaar
niet bereiken. De mensen staan zo vreselijk ver van
elkaar af; en zij die van elkaar houden vaak het verst.
Ze werpen elkaar alles toe wat hun maar eigen is zonder het op te vangen, het blijft ergens tussen hen in
liggen en hoopt zich op en verhindert hen tenslotte
zelfs om elkaar te zien en naar elkaar toe te gaan.
Maar ik wilde je vertellen van die vrouw die stierf.
Zij stierf dus. Het was in de morgen en de man, die
niet geslapen had, zat aan haar bed en zag haar sterven. Ze richtte zich plotseling iets op en hief haar
hoofd omhoog en het was alsof heel haar leven zich in
haar gezicht had verzameld, het lag op haar gelaat als
honderd bloemen. En de dood kwam en rukte het er

138

met één greep af, rukte het uit als uit zachte leem en liet haar gelaat langgerekt en spits achter. Haar ogen stonden open en gingen steeds weer open als je ze sloot, als schelpen waarin het weekdier dood is. En de man, die het niet kon aanzien dat ogen die niets meer zagen open stonden, haalde uit zijn tuin twee late, harde rozeknoppen en legde die bij wijze van gewichten op de oogleden. Nu bleven de ogen gesloten en hij zat lange tijd naar het dode gezicht te staren. En hoe langer hij keek, hoe duidelijker hij voelde dat er nog kleine golfjes leven tegen de rand van haar gelaatstrekken aanspoelden en zich langzaam weer terugtrokken. Hij herinnerde zich vaag op een heel mooi moment dit leven op haar gezicht gezien te hebben en hij wist dat het haar heiligste leven was, dat waarvan hij nooit de vertrouweling was geworden. De dood had dit leven niet uit haar weggenomen, hij had zich laten misleiden door het vele dat zich in haar gezicht had verzameld; dát had hij weggerukt, en daarmee ook de zachte omtrekken van haar profiel. Maar dat andere leven was nog in haar aanwezig; daarnet was het nog als een vloed naar haar stille lippen gestroomd en nu liep het weer weg, vloeide geluidloos naar binnen en verzamelde zich ergens rond haar gebroken hart.

En de man, die van deze vrouw had gehouden, machteloos van haar had gehouden zoals zij van hem, de man voelde een onuitsprekelijk verlangen om dit aan de dood ontsnapte leven te bezitten. Was hij niet de enige die het zou mogen ontvangen, hij, de erfgenaam van haar bloemen en boeken en zachte gewaden, die nog naar haar lichaam geurden? Maar hij wist niet hoe hij deze warmte, die zo onverbiddelijk uit haar wangen wegvloeide, vast moest houden, hoe hij hem moest oppakken, waarmee hij hem moest afscheppen. Hij zocht de hand van de dode, die open en leeg, als de lege schil van een vrucht, op de deken lag; de koude van deze hand was gelijkmatig en nietszeggend en daardoor voelde hij al aan als een ding dat een nacht in de dauw gelegen heeft om dan in de ochtendbries snel koud en droog te worden. Toen bewoog er plotseling iets in het gezicht van de dode. Gespannen keek de man toe. Alles was stil, maar opeens ging er een schokje door de rozeknop die het linkeroog bedekte. En de man zag dat ook de roos op het rechteroog groter was geworden en nog steeds groter werd. Het gezicht wende zich aan de dood, maar de rozen gingen open als ogen die in een ander leven zagen. En toen het na deze dag van diepe stilte avond was geworden, droeg de man met trillende hand twee grote, rode rozen naar het raam. In die rozen, waarvan de stelen bijna onder het gewicht bezweken, droeg hij haar leven, de overvloed van haar leven die ook hem nooit ten deel was gevallen.'

De vreemdeling liet de kin op zijn hand rusten en keek zwijgend voor zich uit. Toen hij zich even bewoog vroeg Gita: 'En toen?'

'Toen ging hij weg, wat had hij anders moeten doen? Maar hij geloofde niet aan de dood, hij geloofde alleen maar dat de mensen elkaar niet kunnen bereiken, de levenden niet en de doden niet. Dát is hun ongeluk, niet dat ze sterven.'

'Ja, daar kan ik ook al van meepraten, dat je elkaar niet kunt helpen,' zei Gita verdrietig. 'Ik heb een klein wit konijntje gehad dat helemaal tam was en geen moment zonder me kon. En toen werd het ziek, zijn halsje zwol op en het had pijn als een mens. En het keek me aan en smeekte, smeekte met zijn kleine oogjes, hoopte, geloofde dat ik het zou helpen. En ten slotte keek het me niet meer aan, dat kon het niet meer, en stierf op mijn schoot, alsof het alleen was en honderd mijl van me vandaan.'

'Je moet zorgen dat een dier zich nooit aan je gaat hechten, Gita, dat is waar. Anders laad je een schuld op je, je doet een gelofte die je niet gestand kunt doen. We falen altijd in onze betrekkingen tot dieren. En tussen de mensen onderling is het niet anders, alleen komen er daar altijd twee in de schuld te staan, de een bij de ander. En dát betekent van elkaar houden: bij elkaar in de schuld staan, meer niet, Gita, méér niet.'

'Dat weet ik,' zei Gita, 'maar dat is al een heleboel.'

En daarop wandelden zij samen hand in hand over het kerkhof en hielden er geen rekening mee dat de dingen anders zouden kunnen worden dan ze waren.

En toch werden ze anders. De maand augustus kwam en ook een dag in augustus waarop er een koorts over de lijdzame, bange, windstille straten scheen neergedaald. De vreemde man wachtte Gita bij de ingang van het kerkhof op, bleek en ernstig.

'Ik heb een boze droom gehad, Gita,' riep hij haar toe. 'Ga naar huis en kom hier niet meer heen voordat ik je laat weten dat je komen moet. Ik zal nu misschien veel te doen krijgen. Vaarwel.'

Maar zij wierp zich aan zijn borst en huilde. En hij liet haar zo lang huilen als ze wilde, en keek haar toen ze wegging lang na. Hij had zich niet vergist; nu moest er serieus gewerkt worden. Dagelijks kwamen er nu twee of drie lijkstoeten uit de stad. Er liepen veel burgers in mee; het waren rijke en weelderige begrafenissen, waarbij het niet aan wierook en gezang ontbrak. Maar de vreemdeling wist wat nog door niemand was uitgesproken; de pest was in de stad. De dagen werden steeds heter en kwellender onder een dodelijke hemel, en als de nacht kwam bracht die geen verkoeling. En ontzetting en angst legden zich op de handen van de handwerkslieden en op de harten van de geliefden – en verlamden ze. En in de huizen was het stil als op de heiligste feestdag of om middernacht. Maar de kerken zaten vol ontstelde gezichten. En plotseling begonnen alle klokken te luiden, schrikten op, braken in klanken uit: als hadden wilde dieren de klokketouwen besprongen en zich erin vastgebeten: zo luidden zij, panisch.

In deze verschrikkelijke dagen was de doodgraver de enige die nog werkte. Zijn armspieren werden gestaald door de zwaardere inspanning die zijn ambt nu van hem eiste en er was zelfs een zekere vrolijkheid bij hem te bespeuren, de vrolijkheid van zijn bloed, dat sneller stroomde.

Maar op een morgen, toen hij na een korte slaap wakker werd, stond Gita voor hem. 'Ben je ziek?' vroeg hij.

'Nee, nee.' En hij begreep pas geleidelijk wat zij haastig en verward vertelde.

Ze zei dat de mensen van San Rocco onderweg naar hem waren. Ze wilden hem doden, want 'jij, zeggen ze, hebt de pest opgeroepen. Je hebt aan de lege kant van het kerkhof, waar vroeger niets was, ophogingen gemaakt. Dat zijn graven, zeggen ze, en met die graven heb je de lijken geroepen. Vlucht, vlucht!' smeekte Gita en viel met radeloze wildheid op haar knieën, als viel ze van een toren. En op de weg was al een donkere meute te zien, die gestadig groter werd en naderbij kwam. Voor hen uit een stofwolk. En uit het doffe gemurmel van de menigte maken zich al dreigende woorden los. En Gita springt op en valt weer op haar knieën en wil de vreemdeling meetrekken.

Hij blijft echter als versteend staan en beveelt haar zijn huis in te gaan en te wachten. Zij gehoorzaamt. Zij gaat in het huis ineengedoken achter de deur zitten en haar hart klopt in haar keel en in haar polsen, overal.

Plotseling een steen, en nog een; je hoort ze allebei in de heg vliegen. Gita houdt het niet langer uit. Ze rukt de deur open en holt, holt recht op de derde steen toe, die haar hard op het voorhoofd treft. De vreemdeling vangt haar in haar val op en draagt haar zijn kleine donkere huis binnen. En het volk joelt en is al vlak bij de lage heg waardoor het zich niet zal laten tegenhouden. Maar dan gebeurt er iets onverwachts, iets vreselijks. De kleine klerk met het kale hoofd, Theophilo, klemt zich ineens aan zijn buurman vast, de smid uit de Vicolo Sma Trinità-straat. Hij slingert en draait op een vreemde manier met zijn ogen. En tegelijk begint in de derde rij een jongen te slingeren en achter hem schreeuwt een zwangere vrouw het uit, ze schreeuwt, schreeuwt, en deze schreeuw kennen ze allemaal en ze stuiven uit elkaar, gek van angst. De smid, een grote sterke kerel, siddert en hij schudt met de arm waaraan de klerk heeft gehangen heen en weer alsof hij de arm van zich af wil slingeren, hij schudt maar en schudt maar.

En in het huis komt Gita, die op het bed ligt, nog één keer bij en luistert.

'Ze zijn weg,' zegt de vreemdeling, die zich over haar heen gebogen heeft. Ze kan hem niet meer zien maar tast voorzichtig over het gezicht boven haar, om toch nog één keer te ervaren hoe het was. Het is haar alsof ze lang samen hebben geleefd, de vreemdeling en zij, jaren lang. En plotseling zegt zij: 'De tijd is niet belangrijk, niet waar?'

'Nee, Gita,' zegt hij, 'de tijd is niet belangrijk.' En hij weet wat zij bedoelt. Zo sterft zij.

En hij graaft een graf voor haar aan het eind van het middenpad, in het schone, fonkelende grind. En als de maan komt is het alsof hij in zilver graaft. En hij legt haar erin op een dikke laag bloemen en dekt haar met bloemen toe. 'Jij lieve,' zegt hij en staat een ogenblik stil. Maar dadelijk daarop gaat hij aan de slag, alsof hij bang is voor het stilstaan en het nadenken. Zeven doodskisten staan te wachten om begraven te worden; men heeft ze in de loop van de vorige dag gebracht. Met maar een kleine rouwstoet, hoewel er de extra grote eikenhouten kist van Gian-Battista Vignola, de Podestà, bij is. Alles is anders geworden. Waarden hebben hun geldigheid verloren. In plaats van één dode die door vele levenden uitgeleide wordt gedaan komt er nu steeds één levende met zijn kar drie, vier kisten brengen: de rode Pippo, die daar zijn bedrijf van heeft gemaakt. En de vreemdeling meet hoeveel plaats hij nog heeft. Plaats voor ongeveer vijftien graven. En zo begint hij te werken, en aanvankelijk is zijn schop de enige stem in de nacht. Tot men het sterven in de stad weer hoort. Want nu houdt niemand zich meer in; het is geen geheim meer. Wie door de ziekte wordt gegrepen of zelfs maar door de angst ervoor, die schreeuwt en schreeuwt het uit, tot het afgelopen is. Moeders zijn bang voor hun eigen kinderen, niemand herkent de ander meer, als in een monsterlijke duisternis. Er zijn ook enkele vertwijfelden die drinkgelagen houden, en ze smijten de dronken snollen uit de ramen wanneer ze beginnen te waggelbenen, uit angst dat ze misschien door de ziekte zijn aangetast.

Maar de vreemdeling daarbuiten blijft rustig doorgraven. Hij heeft het gevoel: zolang hij hier, binnen deze vier heggen, de vrije hand heeft, zolang hij hier kan ordenen en aanleggen en dit onzinnige toeval althans uiterlijk, althans met bloemen en perken een zin kan geven en het daardoor met het land rondom kan verzoenen en in harmonie kan brengen, zolang heeft de ander het gelijk nog niet aan zijn kant, en er kan een dag komen waarop hij – de ander – moe wordt en zich gewonnen geeft. En hij heeft al twee graven klaar. Maar dan komt het: lachen, stemmen en het knarsen van een wagen. De wagen ligt vol met lijken. En de rode Pippo heeft kameraden gevonden die hem helpen. Zij doen een blinde, begerige greep in de overvloed en sleuren er een uit dat lijkt tegen te stribbelen en gooien het over de heg heen op het kerkhof. En nog een. De vreemdeling graaft rustig verder. Totdat het lichaam van een jong meisje voor zijn voeten valt, naakt en bebloed, de haren half uitgetrokken. Dan slingert de doodgraver een dreigement de nacht in. En hij wil weer aan het werk gaan. Maar de dronken jongelui zijn niet in een stemming om zich te laten bevelen. Steeds weer duikt de rode Pippo op, steekt zijn platte voorhoofd omhoog en gooit een lichaam over de heg. Zo stapelen de lijken zich rond de rustige werker op. Lijken, lijken, lijken. Het graven gaat steeds moeizamer. Het is alsof de doden zelf hun hand verbiedend op de schop leggen. Dan staakt de vreemdeling zijn werk. Het zweet staat hem op het voorhoofd. In zijn borst vindt een worsteling plaats. Dan gaat hij naar de heg en als Pippo zijn rode, ronde hoofd weer omhoog steekt laat hij met een grote zwaai de schop neerkomen, voelt hoe hij de ander treft en ziet nog dat de schop donker en nat is als hij hem terugtrekt. Hij werpt hem met een wijde boog weg en buigt het hoofd. En zo loopt hij langzaam zijn tuin uit, de nacht in: een overwonnene. Iemand die te vroeg kwam, veel te vroeg.

(1901/1902)

Samskola

Ik zal je iets vertellen dat onlangs in Gothenburg is gebeurd. Het is iets heel merkwaardigs. In deze stad gebeurde het dat verscheidene kinderen naar hun ouders toegingen en verklaarden dat ze ook 's middags op school wilden blijven, ook als er geen les gegeven wordt, altijd. Altijd? Ja, zoveel mogelijk. Op welke school?

Ik zal over deze school vertellen. Het is een ongewone, volstrekt niet-imperatieve school; een school die tolerant is, een school die zich niet voor volmaakt houdt maar zich beschouwt als iets in wording, waaraan de kinderen zelf moeten werken door te beïnvloeden en te veranderen. De kinderen – in nauwe en vriendschappelijke samenwerking met enkele attente, ontvankelijke, behoedzame volwassenen, mensen, leraren zo men wil. De kinderen zijn op deze school hoofdzaak. Het is duidelijk dat daarom verschillende instellingen die op andere scholen gebruikelijk zijn komen te vervallen. Bij voorbeeld: die strafrechtelijke onderzoeken en verhoren die men examens heeft genoemd en de daarmee gepaard gaande diploma's. Die waren bij uitstek een uitvinding van de volwassenen. En meteen zodra men de school binnengaat voelt men het verschil. Men is in een school waar het niet naar stof, inkt en angst ruikt, maar naar zon, blank hout en jeugd.

Men zal zeggen dat zo'n school geen levensvatbaarheid heeft. Natuurlijk niet. Maar de kinderen houden haar in leven. Ze is nu in het vierde jaar van haar bestaan en er zijn dit semester tweehonderdvijftig leerlingen. Meisjes en jongens van alle leeftijden. Want het is een school die aan de regels voldoet, en bij het begin begint en tot het einde doorloopt. Toegegeven: dit einde valt nog niet geheel onder haar

146

zeggenschap. De achttienjarigen worden als door een spook bij de uitgang door het eindexamen opgewacht. En uit de toekomst waar zij al in vertoefden, doen zij een stap terug naar een andere tijd. De tijd van hun tijdgenoten. En toch zijn zij als het ware in het toekomstige grootgebracht; zullen zij dat helemaal verloochenen? Zal het later aan hun leven te merken zijn?

Dit gaat nog niet helemaal op voor de leerlingen die thans in de eerstkomende jaren de school verlaten; want daar de school pas aan haar vierde jaar toe is zijn zij er niet van meet af aan leerling geweest. Op een goede dag zijn ze overgestapt, belast met schoolse ervaringen en conventies en vol met de bacillen van oude, infectueuze schoolziekten. Zou het jonge lichaam van deze nieuwe school niet zo door en door gezond zijn, dan hadden zij gemakkelijk een gevaar kunnen opleveren. Nu echter gaan zij zonder schade te veroorzaken door het organisme heen; zetten zij hun slechte gewoonten en stiekeme scholierentrucs voort, dan krijgen deze een aanzien van treurige, onschadelijke belachelijkheid in deze sfeer van breed, open vertrouwen, van levensgrote menselijkheid die ver boven de muren van een lesuur uitstijgt; ze worden overbodig als de omfloerste gebaren van een ex-gevangene die zich nog steeds in de signalen- en kloptaal van de gevangenis uitdrukt. Maar al missen deze indertijd schuw gemaakte kinderen het vermogen om zich onbekommerd aan het zonnige licht van de nieuwe school over te geven, men ziet toch hoe ze zich ontspannen, hoe ze ontluiken en ondanks alle voortijdige rijpheid, die ze van hun troebele ervaringen hebben overgehouden, zuivere, kinderlijk lichte instincten ontwikkelen, en hoe zij hier en daar tot opbloei komen. Maar men moet voorzichtig met hen omspringen; want voor hen is de vrijheid een risico.

Het woord vrijheid is gevallen. Ik heb de indruk dat wij, volwassenen, in een wereld leven waarin geen vrijheid bestaat. Vrijheid is dynamische, evoluerende, in samenhang met de menselijke ziel veranderende en groeiende wet. Onze wetten zijn ons niet meer eigen. Ze zijn bij het leven achtergebleven. Men heeft ze gedwongen achter te blijven, uit gierigheid, hebzucht, eigenbelang; ze moesten gewaarborgd zijn. En doordat men ze, aldus gevrijwaard voor ieder gevaar, op het strand achterliet, zijn ze versteend. En dat is ons ongeluk: dat we stenen wetten hebben. Wetten die ons niet altijd hebben vergezeld, vreemde wetten die ons niet verwant zijn. Geen van de talloze nieuwe bewegingen van ons bloed plant zich in hen voort; ons leven bestaat eenvoudig niet voor hen; en de warmte van al onze harten bij elkaar volstaat nog niet om op hun koude oppervlak een zweempje groen te voorschijn te brengen. Wij eisen een nieuwe wet. Een wet die dag en nacht met ons is en door ons geëerbiedigd en bevrucht wordt als een vrouw. Maar er komt niemand die ons zo'n wet kan geven; daar is te veel kracht voor nodig.

Maar beseft niemand dat de nieuwe wet, die wíj niet in het leven kunnen roepen, iedere dag opnieuw geboren kan worden in hen die zelf een nieuw begin zijn? Zijn zij immers niet opnieuw het ganse geheel, schepping en wereld, komen in hen niet alle krachten tot ontwikkeling zolang we hen er maar genoeg ruimte voor laten? Indien we ervan afzien de kinderen met het recht van de sterkste al het voltooide op te dringen dat voor ons eigen leven geldt, indien ze niets aantreffen en alles zelf moeten maken: zúllen ze dan niet alles maken? Als we ons ervoor behoeden de oude kloof tussen plicht en vreugde (school en leven), wet en vrijheid, in hen te vergroten: zou de wereld zich dan niet gezond in hen ontwikkelen? Niet in één generatie weliswaar, ook niet in de volgende of overvolgende, maar geleidelijk, van jeugd tot jeugd, gezonder wordend?

Ik weet niet of men bij het oprichten van deze

school ook deze gedachtegang heeft gevolgd; er is een wereld van gedachten overdacht. Maar nu is de school er. Haar ongecompliceerde vrolijkheid heeft een bitter ernstige achtergrond. Ze is niet de gevangene van een program, ze staat voor alle richtingen open. En de 'opvoeder' komt zelfs niet ter sprake. Die speelt geen enkele rol. Want wie kan er opvoeden? Wie van ons zou mogen opvoeden?

Wat deze school probeert is dit: niet dwarsbomen. Maar daar ze dit op daadwerkelijke, toegewijde wijze poogt te doen, door remmingen weg te nemen, vragen op te werpen, te luisteren, te kijken, te leren en voorzichtig lief te hebben, doet ze het beste wat volwassenen voor hun nakomelingen kunnen doen.

Het uit vijf paviljoens bestaande houten gebouw van een voormalig ziekenhuis. Aan patiënten denkt men niet meer; alleen iets als de vreugde van vele genezenden is er overgebleven.

De kamers zijn net de kamers van een landhuis. Middelgroot, met heldere, eenkleurige muren en grote ramen waarin veel bloemen staan. De lage, gele, van hars blinkende tafels kan men zo nodig op de manier van schoolbanken in rijen naast elkaar zetten; meestal echter staan ze in het midden tot één grote tafel bijeengeschoven, als in een woonkamer. En de kleine, prettige stoelen staan er in een kring omheen. Natuurlijk is er alles wat in een echt schoollokaal thuishoort: een (overigens niet verhoogde) leraarstafel, een schoolbord, enzovoort. Maar deze dingen representeren niets; ze schikken zich naar hun functie. Aan de muur, tegenover het raam, hangt een kaart van Zweden, blauw, groen en rood: een vrolijk bontgekleurd kinderland. Bovendien hangen er afbeeldingen van goede schilderijen, in effen, eenvoudige houten lijsten. De kleine paardrijdende infant van Velasquez. Daarnaast echter, evenzeer gewaardeerd, hangt het rode huis, dat de kleine Bengt of Nils of Ebbe geschilderd heeft, met een diepernstig gezicht. Door de lichte gangen komt men in de zalen, die voor vele activiteiten zijn ingericht. Er is een grote, frisse ruimte voor de handenarbeid van de kleinsten; in een andere ruimte worden borstels gefabriceerd en boeken gebonden; er is een werkplaats voor meubelmakerswerk en werktuigbouw, een drukkerij en een stille, blije muziekkamer.

Men heeft het gevoel dat men hier iets kan worden. Deze school is niet iets voorlopigs; de werkelijkheid is er al. Het leven begint er al. Het leven heeft zich voor de kleinen klein gemaakt. Maar het is er, met al zijn mogelijkheden en met veel gevaren. In de werkplaatsen waar de twaalfjarigen werken hangen al de scherpe messen en elzen en ijzers die men anders angstig voor de kinderen verbergt. Hier legt men hen het gereedschap voorzichtig en ernstig en op de goede manier in de hand en het komt niet bij hen op ermee te 'spelen'. Ze zijn zo intensief aan het werk; en bijna al hun produkten zijn goed en gaaf en bruikbaar; de diepe ernst van het handwerk wordt over hen vaardig.

In de zaal voor werktuigbouw werd een jongen geroepen die een motor had uitgevonden en in model uitgevoerd. Hij moest de werking ervan uitleggen. Hij was al met iets anders bezig, dat hij bereidwillig, hoewel ongaarne in zijn werk gestoord, in de steek liet om te komen. Zijn gezicht was nog helemaal van het in de steek gelaten werk vervuld. Maar toen vermande hij zich en gaf zakelijk, concies, de gewenste uitleg. Uit de toon van zijn woorden, de vakkundige gebaren waarmee hij ze begeleidde, zelfs uit de open, zelfverzekerde aard van zijn vriendelijkheid sprak de werker die leeft in wat hij doet. En als bij deze jongen, zo kon men bij alle kinderen openheid en zelfvertrouwen aantreffen; ze waren allen druk in de weer en opgewekt en daardoor verbonden met allen die iets doen; of het nu om volwassenen of kinderen ging, in het ernstige en vreugdevolle bezig zijn lag een saam-

horigheid dank zij welke ze met elkaar konden op-
schieten; iedere reden voor verlegenheid was wegge-
vallen.

De blijmoedigheid en genegenheid waarmee op deze school alles gebeurt, drukken op alle dingen hun
stempel. Hoe mooi zijn de door de kinderen gedrukte en gebonden boeken, hoe ontroerend expressief
zijn hun kleine boetseerpogingen; en hun bloemente-
keningen naar de natuur zijn zo bekwaam en liefde-
vol en nauwkeurig, dat zij, gegeven zekere voorwaar-
den, in een oogwenk in kunst kunnen omslaan. Het
is heerlijk te voelen dat er bij deze kinderen niets kan
verkommeren. Iedere, ook al is het maar de zwakste
aanleg moet in de loop van de tijd tot bloei komen.
Geen van deze kinderen hoeft zich duurzaam ach-
tergesteld te voelen. Er zijn zoveel mogelijkheden.
Voor elk kind moet de dag komen dat het zijn kunnen ontdekt, een of andere bekwaamheid, een handigheid, een genoegen in iets, iets dat hem in deze
kleine wereld zijn plaats, zijn rechtvaardiging geeft.
En wat het belangrijkste is: deze kleine wereld is in
laatste instantie niet anders dan de grote wereld; wat
men hier is, kan men overal zijn; deze school staat
niet in tegenstelling tot het thuis van de leerlingen. Ze
is hetzelfde. Alleen, de school is naar ieder thuis toe-
gekomen, ze is aan alle huizen aangebouwd en wil
contact met hen onderhouden. Ze is niet het 'andere'.
De ouders lopen er precies zo in en uit als hun kinderen. Het staat hun vrij zo nu en dan een les bij te wonen; ze kennen de vertrekken in het schoolhuis en weten er de weg. En ten opzichte van het leven wil deze
school niet het 'andere' zijn. Daarom kan ze geen leraren gebruiken die dit beroep alleen maar uitoefe-
nen; wie hier lesgeven moeten van hun beroep bezeten
zijn. Het is niet voldoende dat ze een vak beheersen;
dit vak moet min of meer aan weer en wind blootge-
steld zijn; het mag niet geïsoleerd, van alles afgesne-
den, uit alle samenhangen gelicht zijn. Het moet ver-

anderen, en als er in de wereld iets beweegt moet het meetrillen en resoneren; men moet het er aan kunnen merken. Altijd moet er, met de diverse vakken als aanleiding, sprake zijn van het leven. Hoe mooi was het toen er op een dag een mijnwerker kwam, een gewone mijnwerker, die moeizaam, ongekunsteld, over zijn donkere dagen vertelde; en op deze manier staat de leraarstoel iedereen die iets heeft meegemaakt ter beschikking; voor de reiziger die over vreemde streken vertelt, voor de man die machines bouwt, en vooral voor de eenvoudigsten onder de geleerden, de handwerksman met zijn verstandige, voorzichtige handen. Stel je voor dat er eens een timmerman kwam! Of een klokkenmaker of misschien wel een orgelbouwer! En ze kunnen ieder moment komen. Want heel licht slechts, zonder druk, ligt het net van het lesrooster over de dagen. Het wordt vaak verschoven. De weken gaan je niet met de monotone vaart van een rozenkrans door de vingers. Iedere dag begint als iets nieuws en brengt onverwachte en verwachte en volledig verrassende dingen. En voor alles is tijd. De lunchpauze duurt lang genoeg om de tafels af te ruimen en met een blinkend schoon tafelzeil te dekken. Bloemen worden er in het midden op gezet, boterhamborden en glazen en bekers melk; en dan zit iedereen er in een kring omheen en eet en dagdroomt, lacht en vertelt en het lijkt wel een verjaarsgezelschap.

Er is tijd en ruimte op deze school. Elk van deze kleine blonde wezens heeft ruimte om zich heen. Als een huis met een tuin is ieder, een huis dat er niet tussen zijn buren is ingeheid. Ieder heeft iets om zich heen, dat licht, vrij, bloeiend is. Hij moet er ook niet precies als zijn buurman uitzien, integendeel; hij moet zo van harte verschillend zijn, zo oprecht anders, zo authentiek als maar mogelijk is.

Het was consequent en moedig om deze kinderen geen godsdienstonderwijs in traditionele zin op te

leggen. Een autoritaire beïnvloeding op dit gevoelig-
ste punt van het innerlijke leven van het individu zou
al het rechtvaardige en menselijke dat hier werd na-
gestreefd weer teniet doen. Men heeft besloten de bij-
belse stof volgens de zuiverste, meest intentieloze
bronnen als geschiedenis te presenteren, en men wil
geleidelijk aan bereiken dat men niet een of twee maal
per week godsdienst geeft, niet vandaag van negen
tot tien, maar altijd, dagelijks, over elk onderwerp,
op ieder uur. De mensen die het meest van deze
school houden hebben na dagen en nachten van be-
raadslagingen, in het volle bewustzijn van hun ver-
antwoordelijkheid dit besluit genomen. Nu moet men
vertrouwen in hen stellen. Kinderen zowel als ouders.
Want déze betekenis klinkt naar mijn mening licht
in de naam Samskola door: openbare school, school
voor jongens en meisjes, maar ook: school voor kinderen en ouders en leraren. Niemand staat er boven
een ander; iedereen is er gelijk aan de ander en iedereen is er een beginneling. En wat gezamenlijk geleerd
moet worden is: de toekomst.

Slechts met dit ene dringt het verleden erbinnen:
het bijgeloof over de grote kathedralen. Mensenle-
vens zijn onder de fundamenten teloorgegaan en de
mortel is ook bij dit bouwwerk met hartebloed ge-
mengd.

(1904)

Over de melodie der dingen

1 Zie je, we staan helemaal aan het begin.
Als toen alles nog beginnen moest. Met
achter ons duizend-en-één dromen en
geen enkele daad.

11 Ik kan me geen gelukkiger inzicht denken
dan dit ene:
dat men een beginner moet worden
Iemand die het eerste woord schrijft achter een
eeuwenlange
gedachtestreep.

111 Ik kom op het bovenstaande door deze waarne-
ming: dat wij, net als de oudste primitieven, de mensen nog altijd op een gouden ondergrond schilderen.
Ze staan voor iets dat geen eigenschappen heeft.
Soms voor goud, soms ook voor grijs. In het licht
soms, maar vaak met een onpeilbare duisternis achter
zich.

1V Dat is ook heel begrijpelijk. Om de mensen te kunnen zien, ze te kunnen onderscheiden, moest men hen
isoleren. Maar na een lange ervaring is het redelijk
dat we de afzonderlijke visies weer in een samenhang
onderbrengen, en de weidse gebaren der mensen met
gerijpte blik gadeslaan.

V Vergelijk zo'n schilderij met gouden ondergrond
uit het Trecento eens met een van de vele latere com-
posities der vroege Italiaanse meesters, waarop de figuren elkaar tegen de achtergrond van het prachtige
landschap, in de lichte atmosfeer van Umbrië, ontmoeten voor een Santa Conversazione. De gouden
ondergrond isoleert elke figuur, het landschap daar-

entegen strekt zich luisterrijk achter de figuren uit als een gemeenschappelijke ziel, waaraan zij hun glimlach en hun liefde ontlenen.

vi Denk nu aan het leven zelf. Bedenk dat de mensen drukke, gezwollen gebaren en ongelooflijk grote woorden bezigen. Waren ze maar een ogenblik zo kalm en rijk als de sierlijke heiligen van Marco Basaiti, dan zou je ook achter hén het landschap vinden dat zij met elkaar gemeen hebben.

vii En soms zijn er inderdaad van die momenten waarop een mens zich stil en helder voor je aftekent tegen zijn verheven grootsheid. Dat zijn zeldzame feesten die je nooit vergeet. Voortaan heb je deze mens lief. Dat wil zeggen, je tracht de omtrekken van zijn persoonlijkheid, zoals je ze toen hebt leren kennen, met liefkozende handen na te tekenen.

viii De kunst doet hetzelfde. Zij immers is de liefde die hogere eisen stelt en meer omvat. Zij is de goddelijke liefde. Ze mag niet ophouden bij het specifieke; dat is slechts de poort tot het leven. Ze moet het doorkruisen. Ze mag niet moe worden. Om zich te verwezenlijken moet ze daar actief zijn waar allen... één zijn. Wanneer ze dan deze één iets geeft, komt onmetelijke rijkdom over allen.

ix Hoe ver de kunst hier nog van af staat kan men op het toneel zien, waar zij niettemin zegt of probeert te zeggen hoe zij het leven bekijkt – niet het individu in zijn abstracte rusttoestand, maar de bewegingen en relaties tussen meerdere mensen. Ze blijkt de mensen daarbij alleen maar naast elkaar neer te zetten, zoals men in het Trecento deed, en het aan hen zelf over te laten of ze over het grijs of goud van de achtergrond heen vriendschap met elkaar sluiten of niet.

x En hier loopt het dan ook op uit. Met woorden en gebaren proberen ze elkaar te bereiken. Ze trekken elkaar bijna de armen uit het lid, omdat hun gebaren veel te kort zijn. Ten koste van oneindige inspanningen gooien ze elkaar de lettergrepen toe, en betonen zich ook nog erg slechte balspelers die niet kunnen vangen. Zo wordt de tijd aan bukken en zoeken verspild – precies als in het leven.

xi En de kunst heeft ons alleen maar de verwarring laten zien waarin we meestal verkeren. Ze heeft ons angst aangejaagd in plaats van ons stil en rustig te stemmen. Ze heeft aangetoond dat wij ieder op een verschillend eiland leven; deze eilanden zijn echter te klein om er eenzaam en zonder zorgen te kunnen leven. De een kan de ander lastig vallen of verschrikken of met speren achtervolgen – maar niemand kan een ander helpen.

xii Om van het ene eiland op het andere te komen is er maar één mogelijkheid: gevaarlijke sprongen maken, waarbij men méér riskeert dan alleen zijn voeten. Ten slotte maakt men eeuwig sprongetjes over en weer, hetgeen met toevalligheden en belachelijkheden gepaard gaat; want soms komt het voor dat er twee naar elkaar toe springen, gelijktijdig, zodat ze elkaar alleen even in de lucht ontmoeten, en na deze moeizame wisseling van plaats even ver van elkaar afstaan als daarvoor.

xiii Dat hoeft ons ook niet te verwonderen; want de bruggen die ons onderling verbinden, en waar men sierlijk en feestelijk overheen loopt, bevinden zich in werkelijkheid niet *in* ons maar achter ons, net als op de landschappen van Fra Bartholome of Leonardo. Niettemin spitst het leven zich toe in de afzonderlijke persoonlijkheden. Maar tussen de ene en de andere bergtop loopt het pad door de bredere dalen.

xiv Wanneer twee of drie mensen samenkomen, zijn zij daarom nog niet bijeen. Ze zijn als marionetten wier draden in verschillende handen liggen. Pas wanneer *één* hand alle draden leidt, gehoorzamen zij aan iets collectiefs, dat hen dwingt tot het maken van buigingen, of waardoor zij op elkaar gaan inhakken. En ook de krachten van de mens liggen daar, waar zijn draden eindigen in een hand die ze vasthoudt en beheerst.

xv Pas in een gemeenschappelijk doorgebracht uur, tijdens een gemeenschappelijke storm of als zij elkaar in één kamer ontmoeten vinden zij elkaar. Pas wanneer er een achtergrond achter hen staat knopen zij betrekkingen aan. Want ze moeten zich op dat *ene* vaderland kunnen beroepen. Ze moeten elkaar als het ware de visums laten zien die ze bij zich hebben, en die alle getuigen, en het zegel bevatten, van één en dezelfde vorst.

xvi Of je nu door het zingen van een lamp of de stem van de storm omgeven wordt, het ademen van de avond of het zuchten van de zee – altijd waakt er een verheven melodie achter je, een weefsel van duizend stemmen waarin maar af en toe plaats is voor je solo. Weten *wanneer je in moet vallen*, dat is het geheim van je eenzaamheid: zoals de kunst van de ware menselijke betrekking is: je van uit de hoogte der woorden te laten vallen in de algemene melodie.

xvii Wanneer de heiligen van Marco Basaiti elkaar iets zouden willen toevertrouwen buiten hun zalige groep om, zouden ze elkaar niet op de voorgrond van het schilderij waarin ze wonen hun smalle, zachte handen reiken. Ze zouden zich terugtrekken, beiden even klein worden en diep in het meeluisterende landschap over de minuscule bruggetjes naar elkaar toekomen.

XVIII Wij vooraan zijn precies eender. Zegenende verlangens. Ze gaan in vervulling in de diepte van glorieuze achtergronden. Daar is beweging en wil. Daar spelen zich de geschiedenissen af waarvan wij de wazige opschriften zijn. Daar is ons versmelten en ons afscheid nemen, troost en bedroefdheid. Daar *zijn* wij, terwijl wij op de voorgrond komen en gaan.

XIX Denk aan de mensen die je te zamen aantrof, zonder dat zij eenzelfde uur beleefden. Bij voorbeeld leden van een familie, die elkaar in de sterfkamer van een innig geliefd persoon ontmoeten. Ieder verwijlt weer bij een andere diepe herinnering. Hun woorden gaan langs elkaar heen, zonder dat het tot hen doordringt. In de eerste verwarring grijpen hun handen mis. Totdat de smart zich achter hen verhevigt. Ze gaan zitten, buigen het hoofd en zwijgen. Boven hen ruist het als in een bos. En ze zijn elkaar nader dan ooit tevoren.

XX Wanneer er geen hevige smart is die de mensen zwijgzaam stemt, hoort de een meer van de machtige achtergrondmelodie dan de ander. Velen horen haar in het geheel niet meer. Zij zijn als bomen die hun wortels zijn vergeten en nu het ruisen van hun takken met hun kracht en hun leven vereenzelvigen. Velen hebben geen tijd om naar de melodie te luisteren. Zij dulden geen lege duur om zich heen. Zij zijn beklagenswaardige ontheemden, beroofd van de zin van het bestaan. Ze slaan op de toetsen van de dag en spelen steeds dezelfde monotone, vergeefse toon.

XXI Willen we dus in het leven ingewijden zijn, dan moeten we aan twee dingen denken: Ten eerste de grote melodie, waarin dingen en geuren, gevoelens en verledens, schemeringen en verlangens samenklinken, en vervolgens: de afzonderlijke stemmen, die dit volle koor completeren en voltooien.

En om een kunstwerk – dus: een beeld van het diepere leven, van het te allen tijde mogelijke en meer dan momentele doorléven – voort te brengen, zal het zaak zijn deze twee stemmen, die van een bepaald uur en die van een groep mensen in dat uur, in de juiste verhouding te brengen en op elkaar af te stemmen.

XXII Hiertoe moet men beide elementen van de levensmelodie in hun primitieve vormen onderscheiden hebben; men moet in de bruisende woelingen van de zee de maat van de golfslag opsporen en uit de wirwar van het triviale gesprek de levende lijn losmaken die de andere lijnen schraagt. Men moet de zuivere kleuren naast elkaar houden om de tussen hen bestaande contrasten en intimiteiten te herkennen.

Men moet het vele hebben vergeten omwille van het belangrijke.

XXIII Twee mensen die beiden even fijnbesnaard zijn, hoeven niet over de melodie van hun uren te praten. Deze hebben zij krachtens hun aard met elkaar gemeen. Als een brandend altaar is de melodie tussen hen en eerbiedig voeden zij de heilige vlammen met hun spaarzame woorden.

Verplaats ik deze twee mensen van hun intentieloze zijn naar het toneel, dan is het duidelijk dat ik twee geliefden wil laten zien en wil verduidelijken waarom zij zo zielsgelukkig zijn. Maar op het toneel is het altaar onzichtbaar en niemand zal uit het zonderlinge doen en laten van de offerenden wijs kunnen worden.

XXIV Dit kan men op twee manieren oplossen: óf de mensen moeten opstaan en met veel omhaal van woorden en verwarrende gebaren iets proberen te zeggen dat ze aanvankelijk leefden.

Of: ik verander niets aan hun zo veelbetekenende manier van doen, maar zeg er zelf deze woorden bij:

Hier is een altaar, waarop een heilige vlam brandt. Haar glans kunt ge op de gezichten van deze twee mensen waarnemen.

xxv Het laatste is naar mijn mening het enig kunstzinnige. Er gaat niets wezenlijks verloren en er treedt geen verwarring in de deelelementen op, waardoor de opeenvolging der gebeurtenissen zou kunnen worden vertroebeld, indien ik het altaar dat de twee eenzamen verenigt zo uitbeeld dat iedereen het ziet en in het bestaan ervan gelooft. Veel later zullen de toeschouwers de vlammende zuil onwillekeurig menen te zien, en ik zal er niets bij hoeven te verduidelijken. Veel later.

xxvi Maar dat met dat altaar is maar een gelijkenis en een zeer onnauwkeurige bovendien. Het gaat erom op het toneel het gemeenschappelijk doorleefde uur, het uur waarin de personages aan het woord komen, uit te drukken. Dit lied – dat in het gewone leven wordt overgelaten aan de ontelbare stemmen van dag of nacht, aan het ruisen van het bos of het tikken van de klok en haar aarzelende slaan op de hele uren – dit machtige achtergrondkoor, waarvan maat en toon van onze woorden afhangen, laat zich op het toneel voorlopig niet met zulke middelen begrijpelijk maken.

xxvii Want wat 'sfeer' genoemd wordt en in nieuwere stukken gedeeltelijk ook tot haar recht komt, is nochtans niet meer dan een eerste gebrekkige poging het landschap achter de mensen, woorden en tekens door te laten schemeren, het wordt door de meesten in het geheel niet opgemerkt en kan wegens haar fijnere intimiteit ook onmogelijk door iedereen opgemerkt worden. Een technische versterking van een specifiek geluid of een specifieke belichting heeft een potsierlijk effect, omdat er dan uit ontelbare stemmen één wordt toegespitst, zodat de hele handeling aan dat ene scherpe accent wordt opgehangen.

xxviii Men doet het machtige achtergrondlied alleen dan recht, wanneer men het in zijn volle omvang weergeeft, wat vooralsnog ondoenlijk lijkt, gezien de beperkte middelen waarover ons toneel beschikt en het beperkte begripsvermogen van de wantrouwige massa. Het evenwicht kan alleen door strenge stilering bereikt worden, doordat men namelijk de melodie der oneindigheid op dezelfde toetsen speelt als die waarop de handen van de handeling rusten, ofwel aan de woorden het grote en zwijgende als grondtoon toevoegt.

xxix Dit komt op hetzelfde neer als de invoering van een koor, dat kalm opdoemt achter de ijle, flakkerende gesprekken. Doordat de stilte zich voortdurend in haar volle macht en betekenis doet gevoelen, verschijnen de woorden op de voorgrond als haar natuurlijke complementen, en hierbij kan een volledige uitbeelding van het levenslied tot stand komen, die anders alleen al uitgesloten leek door de onmogelijkheid om geuren en onbestemde gevoelens op het toneel toe te passen.

xxx Ik wil terloops een klein voorbeeld noemen: Avond. Een kleine kamer. Aan de tafel in het midden onder de lamp zitten tegenover elkaar twee kinderen, met tegenzin over hun boeken gebogen. Ze zijn allebei ver, heel ver weg. Hun vlucht wordt door hun boeken gedekt. Nu en dan zeggen ze iets tegen elkaar, om elkaar niet in het uitgestrekte woud van hun dromen te verliezen. In het kleine kamertje beleven ze bonte, fantastische avonturen. Ze strijden en overwinnen. Keren naar huis terug en trouwen. Voeden hun kinderen tot helden op. Sterven misschien wel.
Ik ben zo eigenzinnig dit als handeling te zien!

xxxi Maar dit tafereel kan het niet stellen zonder het zingen van de gloedvolle ouderwetse hangelamp, zonder het ademen en kraken van de meubels, zonder de storm om het huis, zonder deze hele donkere achtergrond, waar ze de draden van hun fantasie door rijgen. In de tuin, aan zee of op het terras van een paleis zouden de kinderen heel andere dromen hebben. Of men op zijde borduurt of op wol maakt een groot verschil. Duidelijk gemaakt moet worden dat zij de weinige, hortende lijnen van hun meandrische patroon onzeker op het gele canvas van deze avondlijke kamer herhalen.

xxxii Ik overweeg nu om de hele melodie zoals die door de jongens wordt gehoord tot klinken te brengen. Een stille stem moet haar over het toneel laten zweven, en op een onzichtbaar teken vallen de zwakke kinderstemmen in en drijven weg, terwijl de brede stroom ruisend door de kleine avondlijke kamer verder stroomt van oneindigheid naar oneindigheid.

xxxiii Ik ken veel van zulke scènes, meer omvattende ook. Al naar dit tafereel uitdrukkelijker, en daarmee bedoel ik vollediger, wordt gestileerd of juist voorzichtig wordt aangeduid, is het koor op het toneel aanwezig – waarbij ook zijn waakzame aanwezigheid zonder meer effectief is – of beperkt zijn aandeel zich tot de stem, die groots en bovenmenselijk uit de smeltkroes van het gemeenschappelijke uur verrijst. Hoe dan ook woont in de stem, evenals in het antieke koor, de hogere wijsheid; niet omdat hij over het gebeuren van de handeling oordeelt, maar omdat hij de basis is waaruit dit ijlere lied zich losmaakt en in welks schoot zij ten slotte veredeld terugvalt.

xxxiv De gestileerde, dus onrealistische uitbeelding beschouw ik in dit geval slechts als een overgangsvorm; want op het toneel zal het beste onthaal altijd díe kunst krijgen die levensgetrouw is en in deze uiterlijke zin 'waar'. Maar de weg naar een innerlijke waarheid die zich zelf verdiept is juist: het herkennen en toepassen van de primitieve elementen. Na grondige ervaring zal men de begrepen basismotieven vrijer en eigenzinniger leren gebruiken en daardoor ook weer dichter in de buurt van het realistische, tijdelijk werkelijke komen. Maar het zal anders zijn dan vroeger.

xxxv Deze inspanningen lijken mij nodig opdat het inzicht in de subtielere gevoelens, dat ten koste van langdurige en serieuze arbeid werd veroverd, niet voorgoed in het theatrale kabaal verloren gaat. En dat zou zonde zijn. Indien het zonder tendentie of al te grote nadrukkelijkheid gebeurt, kan het nieuwe leven verkondigd worden, en daardoor ook aan diegenen worden overgedragen die de eigenschappen daarvan níét op eigen initiatief en kracht verkennen. Ze moeten niet vanaf het toneel bekeerd worden. Maar ze moeten tenminste ervaren: dat is er in onze tijd, binnen ons bereik. Dat is al gelukkig genoeg.

xxxvi Want het heeft bijna de strekking van een religie, dit inzicht: dat men, zodra men eenmaal de achtergrondmelodie gevonden heeft, niet meer radeloos naar woorden hoeft te zoeken en niet meer weifelt over de beslissingen die men moet nemen. Er ligt een zorgeloze zekerheid in de simpele overtuiging deel van een melodie te zijn, dus een bepaalde plaats rechtmatig in te nemen en een bepaalde verplichting te hebben aan een machtig werk, waarin de minst aanzienlijke evenveel waard is als de grootste. Voor een bewuste, gelijkmatige ontplooiing is het een eerste voorwaarde niet te veel te zijn.

xxxvii Alle conflicten en dwalingen komen hieruit voort, dat de mensen het gemeenschappelijke *in* zich zelf en elkaar zoeken, in plaats van in de dingen *achter* zich, in het licht, in het landschap van de geboorte en van de dood. Daardoor verliezen ze zichzelf zonder er iets bij te winnen. Ze vermengen zich omdat ze zich niet verenigen kunnen. Ze klampen zich aan elkaar vast en slagen er desondanks niet in vaste grond onder de voeten te vinden, omdat ze wankelen en zwak zijn; en aan dit wederzijdse zoeken naar steun geven zij al hun kracht, zodat naar buiten toe zelfs niet de notie van een golfslag voelbaar wordt.

xxxviii Iets gemeenschappelijks vooronderstelt echter altijd een zeker aantal verschillende eenzame wezens. Voordat die er waren was het gemeenschappelijke eenvoudig een geheel dat nergens verband mee hield, onbepaald. Het was arm noch rijk. Zodra er zich verschillende onderdelen losmaken van de moederlijke eenheid komt het gemeenschappelijke tot hen in een tegenstelling te staan; want ze groeien ervan af. Maar toch laat het hen niet los. Al heeft de wortel dan van de vruchten geen besef, hij voedt ze toch.

xxxix En we zijn immers als vruchten. We hangen hoog in de grillig verstrengelde takken en worden door vele winden bewogen. We bezitten rijpheid, zoetheid en schoonheid. Maar de kracht daarvoor vloeit, vanuit een wortel die zich over werelden heeft uitgebreid, door één stam in ons allen. En als wij voor de macht van die wortel willen getuigen moeten wij haar zo solitair mogelijk benutten. Hoe meer eenzamen, hoe indrukwekkender, aangrijpender en machtiger hun gemeenschap.

xxxx En juist de eenzaamsten hebben het grootste aandeel in het gemeenschappelijke. Ik heb al gezegd dat de een meer, de ander minder van de grote levensmelodie hoort; in dezelfde mate valt hem ook een kleinere of geringere partij in het grote orkest toe. Hij die de volledige melodie zou horen, zou de eenzaamste zijn en tevens het meest intensief deelnemen aan het gemeenschappelijke. Want hij zou horen wat niemand hoort; doch alleen omdat hij in zijn *voleinding* begrijpt, waarvan de anderen nu en dan slechts een vage flard opvangen.

(1898)

Over kunst

1

Graaf Leo Tolstoj laat in zijn laatste, omstreden boek *Wat is kunst?* een lange reeks definities uit alle tijden aan zijn eigen antwoord voorafgaan. En de verschillen tussen Baumgarten en Helmholtz, Shaftesbury en Knight, Cousin en Sar Peladan garanderen extreme standpunten en tegenspraken genoeg.

Al deze opvattingen over kunst, die van Tolstoj inbegrepen, hebben echter dit gemeen: men beschouwt niet in de eerste plaats het wezen van de kunst maar tracht de kunst veeleer uit zijn *effecten* te verklaren.

Het is alsof men zou zeggen: de zon is datgene wat de vruchten doet rijpen, de velden verwarmt en het wasgoed doet drogen. Men vergeet daarbij dat iedere kachel dit laatste kan.

Hoewel ons modernen de mogelijkheid geheel ontbreekt om anderen of ook maar ons zelf met definities verder te helpen, hebben we wellicht toch op de geleerden de onbevangenheid en oprechtheid en een zwakke herinnering aan scheppende uren voor, wier warmte goedmaakt wat onze woorden aan historische waarde en nauwkeurigheid ontbreekt. De kunst manifesteert zich als een levensopvatting, ongeveer als de religie en de wetenschap en ook het socialisme. Zij onderscheidt zich slechts hierin van de andere opvattingen, dat zij niet uit de tijd resulteert en als het ware de wereldbeschouwing van het laatste doel vertegenwoordigt. In een grafische voorstelling, waarbij de verschillende levensopvattingen als lijnen in het vlak van de toekomst doorgetrokken zouden worden, zou zij de langste lijn zijn, misschien het deel van een cirkelomtrek dat zich als een rechte vertoont omdat de straal van de cirkel oneindig is.

Als de wereld ooit onder haar voeten vergaat, blijft

de kunst onafhankelijk bestaan als scheppend princi-
pe en is de peinzende mogelijkheid van nieuwe werelden en tijden.

Daarom ook is hij die de kunst tot zijn levensbeschouwing maakt, de kunstenaar, de mens van het laatste doel, die de eeuwen jong doorloopt, zonder een
verleden achter zich. De anderen komen en gaan, hij
duurt voort. De anderen hebben God als een herinnering achter zich staan. Voor de scheppende is God
de laatste, diepste vervulling. En waar de gelovigen
zeggen: 'Hij is,' en de bedroefden voelen: 'Hij was,'
daar glimlacht de kunstenaar: 'Hij zal zijn.' En zijn
geloof is meer dan alleen maar geloven; want deze
God bouwt hij zelf op. Met iedere blik, met ieder inzicht, in elk van zijn kleine vreugden voegt hij een
macht en een naam aan hem toe, opdat de God ten
slotte in een verre achterkleinzoon voltooid zal zijn,
met alle machten en alle namen opgesierd.

Dat is de taak van de kunstenaar.

Maar omdat hij die als eenzame midden in het heden verricht, stoot hij soms zijn handen aan de tijd.
Niet dat de tijd het vijandige is. Maar hij is het aarzelende, weifelende, wantrouwende. Hij is weerstand.
En pas uit deze tweespalt tussen de tijdstroom en de
buiten de tijd staande levensopvatting van de kunstenaar ontstaat een reeks van kleine bevrijdingen, ontstaat de zichtbare daad van de kunstenaar: het kunstwerk. Niet uit een naïeve voorkeur. Het is altijd een
antwoord op het heden.

Het kunstwerk willen wij dus zien als een diep-in-
nerlijke bekentenis, die onder het voorwendsel van
een herinnering, ervaring of voorval naar buiten
treedt en los van zijn schepper op eigen kracht kan
voortbestaan.

Deze autonomie van het kunstwerk is de schoonheid. Met ieder kunstwerk komt er iets nieuws, een
ding méér in de wereld.

Men zal van mening zijn dat men onder deze definitie alles wel kan vangen: van de gothische kathedralen van Jehan de Beauce tot een meubel van de jonge Van der Velde.

De kunstopvattingen die van het *effect* uitgaan zijn echter veel ruimer. Bovendien begaan zij in hun consequenties onvermijdelijk de fout niet over schoonheid maar over smaak, dus niet over God maar over gebeden te praten. En zo verliezen ze hun geloof en raken ze steeds meer in de war.

We moeten duidelijk stellen dat het wezen der schoonheid niet in het effect ligt, maar in het Zijn. Anders zouden bloementoonstellingen en parken mooier moeten zijn dan een wilde tuin, die zomaar ergens in bloei staat en waarvan niemand weet.

2

Als ik de kunst als een levensbeschouwing karakteriseer, bedoel ik daar niets denkbeeldigs mee. Levensbeschouwing moet men hier opvatten in de zin van: levensstijl. Dus geen zelfbeheersing en zelfbeperking van bepaalde doeleinden, maar een zorgeloos zichlaten-gaan, vertrouwend op een zeker doel. Geen voorzichtigheid maar een wijze blindheid, die zonder vrees een geliefd leider volgt. Niet de verwerving van een stil, langzaam groeiend bezit, maar een voortdurende verkwisting van alle efemere waarden. Men ziet: deze levensstijl heeft iets naïefs en onopzettelijks en vertoont overeenkomst met die onbewuste periode die vooral door een blijmoedig vertrouwen gekenmerkt wordt: de kindsheid. De kindsheid is het rijk van de grote gerechtigheid en de diepe liefde. In de handen van een kind zijn alle dingen even belangrijk. Het speelt met een gouden broche of met een witte veldbloem. Als het moe is zal het beide even achteloos laten vallen en vergeten hoe prachtig het in het licht van zijn vreugde allebei vond. Het kent niet de angst voor het verlies. Voor hem is de wereld nog de mooie schaal, waarin niets verloren gaat. En voor zijn gevoel behoort alles wat het eens heeft gezien, gevoeld of gehoord hem toe. Alles waarmee het ooit in aanraking is gekomen. Het dwingt de dingen niet zich ergens te nestelen. Als een schare donkere nomaden trekken zij door zijn heilige handen als door een triomfboog. Lichten een ogenblik op in zijn liefde om vervolgens weer te vervagen; maar stuk voor stuk moeten ze deze liefde passeren. En wat eenmaal in de liefde oplichtte, blijft daarin als beeld achter en kan niet meer verloren gaan. En het beeld is een bezitting. Daarom zijn kinderen zo rijk.

Hun rijkdom bestaat uiteraard uit ruw goud en niet uit gangbare munt en schijnt steeds meer aan waarde in te boeten naarmate de opvoeding aan macht wint, de opvoeding die de eerste onwillekeurige en puur individuele indrukken door overerfde en historisch gegroeide begrippen vervangt en de dingen in overeenstemming met de traditie als waardevolle en onbeduidende, begerenswaardige en indifferente stempelt. Het is de beslissende periode. Of de volheid van de beelden overleeft het binnendringen van de nieuwe kennis ongedeerd, óf de oude liefde zinkt als een stervende stad weg in de asregen van deze onverwachte vulkaan.

Of het nieuwe wordt de wal die een stuk kind-zijn beschermend omringt, óf het wordt de vloed die het botweg vernietigt. Dat wil zeggen, het kind wordt óf ouder en verstandiger in burgerlijke zin, een bruikbare staatsburger in de dop, het treedt toe tot de orde van zijn tijd en ontvangt daarvan de wijding, óf het rijpt eenvoudig en rustig, diep in zijn innerlijk vanuit zijn allerindividueelste kind-zijn, en dat betekent dat het een mens wordt in de geest van *alle* tijden: een kunstenaar.

In deze diepten, en niet in de schooldagen en schoolervaringen, breiden de wortels van het ware kunstenaarschap zich uit. Díe wortels wonen in warme aarde, in de door niets te verstoren stilte van geheimzinnige ontwikkelingen, die de tijdsdimensie niet kennen. Het kan best zijn dat andere stammen, die hun krachten uit de opvoeding putten, uit koelere, door veranderingen aan de oppervlakte beïnvloede bodem, dichter bij de hemel komen dan zo'n diepgewortelde kunstenaarsboom. De laatste strekt zijn vergankelijke takken, waar de herfsten en de lentes doorheen trekken, niet uit naar de eeuwige, onbekende God; onverstoorbaar breidt hij zijn wortels uit, en deze omlijsten de God die achter de dingen is, daar waar het heel warm en donker wordt.

Daarom, omdat de kunstenaars veel dieper in de warmte van al het wordende doordringen, stijgen er in hen *andere* sappen naar de vruchten op. Zij vormen de wijdere kringloop, in welks baan zich altijd weer nieuwe dingen invoegen. Ze zijn de enigen die bekentenissen kunnen doen, waar de anderen heimelijk met vragen kampen. Niemand vermag de grenzen van hun Zijn te kennen.

Men zou hen met peilloze bronnen kunnen vergelijken. De tijden staan aan de rand en werpen hun oordeel en hun kennis als stenen in de ondoorgrondelijke diepte en luisteren. De stenen vallen na duizenden jaren nog. Geen enkel tijdperk heeft de bodem al gehoord.

3

De geschiedenis is het register van hen die te vroeg zijn gekomen. Altijd duikt er weer iemand in de menigte op die niet uit de menigte voortkomt en wiens verschijning teruggaat op machtiger wetten. Hij brengt vreemde gebruiken mee en neemt met zijn onbescheiden gebaren veel ruimte in beslag. Zo ontwikkelen zich gewelddadigheid in hem en een wil, die als over stenen over vrees en ontzag loopt. Onverbiddelijk vertolkt hij het toekomstige; en zijn tijd weet niet welke waarde hij hem moet toekennen, en al weifelend loochent hij hem. Hij gaat aan de besluiteloosheid van zijn tijd te gronde. Hij sterft als een in de

steek gelaten veldheer of als een voorbarige voorjaars-
dag, die in zijn haast op het wanbegrip van de trage
aarde stuit. Maar eeuwen later, als men al geen kran-
sen meer bij zijn standbeelden legt en zijn vergeten
graf ergens door onkruid wordt overwoekerd, dan
duikt hij opnieuw op en leeft dichterbij en als een
tijdgenoot in de geest van zijn nazaten.

Zo hebben wij al velen tot nieuw leven gewekt;
vorsten en filosofen, staatslieden en koningen, moeders
en martelaren, wier tijd waan en weerstand was, leven
stiller onder ons voort en reiken ons glimlachend hun
oude gedachten aan, die nu niemand meer luidruchtig en lasterlijk in de oren klinken. Naast ons naderen
zij hun einde, besluiten vermoeid hun onsterfelijk-
heid, benoemen ons tot erfgenamen van hetgeen
eeuwig in hen is en sterven een normale dood. Daarom zijn hun monumenten ontzield, hun geschiedenis is
overtollig geworden, omdat wij hun wezen als een
eigen ervaring in ons hebben opgenomen. Zo zijn de
verschillende verledens als stellages die bij de voltooi-
ing van het bouwwerk instorten; maar we weten dat
ieder voltooid bouwwerk weer in een stellage verandert en dat, door honderd instortingen aan het oog
onttrokken, het laatste gebouw verrijst, dat toren en
tempel zal zijn en huis en vaderland.

Eens, wanneer de kroon op dit monument gezet
wordt, zal de beurt aan de kunstenaars komen... om
tijdgenoten van die voltooiers te zijn. Want zij hebben in hun tijd geleefd als de meest toekomstigen van
allen, en zelfs de minst beduidenden onder hen hebben wij nog niet als een broeder herkend. We zijn misschien min of meer vertrouwd met hun denkwijze,
ze ontroeren ons vluchtig met een of ander werk, ze
buigen zich naar ons over en gedurende een flits zijn
we ons bewust hun beeld te zien; maar we kunnen
ons niet voorstellen hoe ze in het heden leven en sterven.

En we zullen eerder bergen en bomen met onze handen kunnen optillen, dan één van deze doden de ziende ogen sluiten

En zelfs de scheppenden van onze tijd kunnen die groten, wier vaderland nog moet komen, niet te gast noden; want ze zijn zelf dakloze wachtenden en eenzame toekomstigen en ongeduldige eenzamen. En hun gevleugeld hart botst overal tegen de muren van de tijd. En als ze net als de wijzen hun cel leren liefhebben, en het stukje hemel dat in hun venstertralies als in een net gevangen ligt, en de ene zwaluw die vol vertrouwen zijn nest boven hun droefenis gebouwd heeft, dan zijn zij toch ook smachtenden, die niet altijd bij opgevouwen doeken en opgestapelde koffers willen blijven wachten. Vaak hebben zij lust de weefsels uit te breiden, opdat de fragmentarisch gebleven beelden en kleuren die de wever verzon, in hun ogen zin en samenhang krijgen, en ze willen hun vaatwerk en goud, waarvan ze kistenvol hebben, uit het duister van het bezit overbrengen naar het daglicht van het gebruik.

Maar ze zijn te vroeg gekomen. En dat wat in hun leven geen uitweg vindt wordt hun werk. En ze zetten het broederlijk tussen de duurzame dingen, en de mysterieuze schoonheid die er over ligt is de droefheid van het niet-doorleefde. En deze schoonheid wijdt hen tot zonen en erfgenamen. En zo handhaaft zich langs de weg van het scheppen een geslacht van nog-niet-levenden en wacht zijn tijd af.

En de kunstenaar is nog altijd: een danser, wiens bewegingen door de dwang van zijn cel gebroken worden. Waarvoor in zijn passen en het gehinderde zwaaien van zijn armen geen ruimte is, ontsnapt als hij doodop is zijn lippen, als hij de nog ongeleefde lijnen van zijn lichaam tenminste niet met wonde vingers in de muren kerft.

(1898)

Kunstwerken

Misschien is het altijd zo geweest. Misschien werd een bepaald tijdperk altijd door een verre afstand gescheiden van de grote kunst die erin ontstond. Misschien zijn de kunstwerken altijd zo eenzaam geweest als nu, en misschien was roem wel nooit iets anders dan de optelsom van alle wanbegrip dat zich rond een nieuwe naam ophoopt. Er is geen reden te geloven dat het ooit anders was. Want wat kunstwerken van alle andere dingen doet verschillen is de omstandigheid dat het als het ware toekomstige dingen zijn, dingen wier tijd nog niet is gekomen. Het is een verre toekomst waaruit zij stammen; het zijn dingen die tot de laatste eeuw behoren waarmee de grote kringloop der wegen en ontwikkelingen zich eens zal sluiten, het zijn de volmaakte dingen en tijdgenoten van de God waaraan de mensen vanaf het begin der tijden hebben gebouwd en die zij nog in lang niet zullen voltooien. Wanneer het desondanks lijkt alsof de grote kunstvoortbrengselen uit voorbije perken midden in het bruisen van hun tijd hebben gestaan, dan kan men dit hierdoor verklaren, dat die laatste en wonderbaarlijke toekomst, het vaderland der kunstwerken, in die langvervlogen dagen (waarvan we zo weinig afweten) dichterbij was dan nu. Wat de dag van morgen zou brengen behoorde al tot het verre en onbekende, lag achter ieder graf, en de godsbeelden waren de grensstenen van een rijk waarin grootse dingen vervuld zouden worden. Langzaam verwijderde deze toekomst zich van de mensen. Geloof en bijgeloof drong zij naar steeds grotere verten, liefde en twijfel slingerde zij boven de sterren uit, de hemel in. Onze lampen zijn ten slotte verziend geworden, onze instrumenten reiken verder dan morgen en overmorgen, door middel van het wetenschappelijk onderzoek onttrekken we de voor ons liggende eeuwen aan de toekomst en maken ze tot een soort nog niet begonnen heden. De wetenschap heeft zich ontrold als een verre, onafzienbare weg en de moeizame en pijnlijke ontwikkelingen van de mensen, individuen zowel als massa's, leggen beslag op de komende millennia met een taak die een oneindige inspanning zal vergen.

En ver, ver achter dit alles ligt het vaderland der kunstwerken, die merkwaardig zwijgzame en geduldige dingen, die vreemd te midden van de gebruiksvoorwerpen verspreid staan, onder de bezige mensen, de dienende dieren en de spelende kinderen.

(1903)

Kattengat-boeken

Charles Baudelaire *Arm België*
Michail Boelgakov *De eieren der Rampp-spoed*
Michail Boelgakov *Verhalen van een jonge arts*
Hermann Broch *Vrouwen*
S. Carmiggelt *Allemaal onzin*
S. Carmiggelt *Ping pong*
S. Carmiggelt *Spijbelen*
S. Carmiggelt *Een toontje lager*
S. Carmiggelt *Vergeet het maar*
S. Carmiggelt *We leven nog*
Chamfort *Wennen aan de hel*
Salvador Dali *Zelfportret*
Rinus Ferdinandusse *Tappelings*
Hermann Hesse *Een golfje op de stroom*
Hermann Hesse *Knulp*
Hermann Hesse *Kuren*
Salcia Landmann *Joods gelach*
Paul Léautaud *Een zeker tegengif*
Thomas Mann *Tristan*
Friedrich Nietzsche *De antichrist*
Boris Pilnjak *Roodhout en andere verhalen*
A.S. Poesjkin e.a. *Liefdesverhalen*
Rainer Maria Rilke *Wladimir de wolkenschilder*
Boris Vian *Onrust in Zwadenland*
Voltaire *Filosofisch woordenboekje*
Edmund Wilson *Galahad*